GUÍA ILUSTRADA DEL CUERPO HUMANO

Guía Ilustrada del Cuerpo Humano

Dirección editorial: Mª Fernanda Canal
Textos: Eduard Arnau
Ilustración: Archivo Parramón Ediciones
Antonio Muñoz Tenllado
Jordi Segú
Diseño gráfico: Toni Inglès

© 1994 Parramon ediciones, S.A.
Derechos exclusivos de edición para todo el mundo.
Gran Via de les Corts Catalanes, 322-324
08008 - Barcelona, España.

ISBN: 0-965-51147-2
Printed in U.S.A.

GUÍA
ILUSTRADA
DEL CUERPO
HUMANO

Sumario

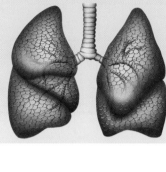
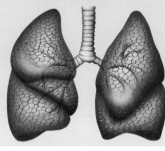
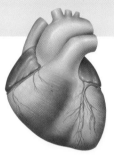
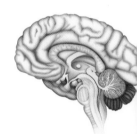
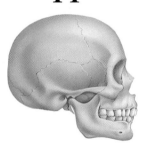
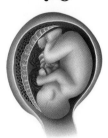
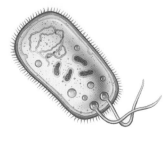
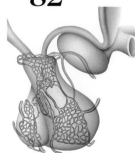

Presentación

El libro que tienes en tus manos quiere ayudarte a conocer a ese compañero con quien vas a convivir durante toda tu existencia: tu cuerpo. Como si se tratara de una máquina, el cuerpo humano necesita que se le conozca, que sepas cómo y de qué está hecho, de qué piezas se compone, cómo funcionan, qué elementos necesita, de qué debe alimentarse, qué debemos prevenir, etc. El desconocimiento de su cuerpo ha creado al hombre gran cantidad de problemas, ya sean de salud, o de seguridad, ya de higiene o de disfunciones.

No hemos pretendido hacer un libro de texto, sino una obra ágil y comprensible que, de forma amena y clara, te explique, pieza a pieza, función a función, todas las partes de tu cuerpo.

Este libro es una miscelánea en la cual encontrarás mil cosas:

• Explicaciones científicas.
• Nombres y situación de los huesos, las articulaciones, los órganos,...
• Formas de prevenir enfermedades.
• Curiosidades que probablemente ignoras.
• Cómo funcionan algunos aparatos utilizados para curar determinadas enfermedades.
• Comparación de nuestras funciones con las de otros animales.
• Explicaciones marginales.

Amén de divertirte con su consulta, este libro te ayudará a saber cómo es tu compañero: tu cuerpo. Si lo conoces, lo podrás valorar. Si lo valoras, lo podrás cuidar y, al mismo tiempo, potenciar sus defensas naturales. Si logras que tu compañero se encuentre bien, verás como tu vida también será mucho mejor.

La célula

E l ser humano, como todos los seres vivos, está formado de células, unos 100 billones, unidas entre sí por estructuras intercelulares de sostén.

Las mismas células se comportan como pequeños seres vivos porque realizan idénticas funciones vitales que los organismos pluricelulares: necesitan nutrirse para asegurar su vida, utilizan los mismos principios inmediatos y el oxígeno para obtener energía, responden a determinados estímulos y tienen capacidad para reproducirse.

Podemos dividir las células en procarióticas y eucarióticas. Las primeras, propias de algas y bacterias, llevan la información genética en un solo orgánulo,

el **cromosoma**, mientras que las eucarióticas, células de organismos más complejos, como el ser humano, presentan un núcleo bien diferenciado y distribuyen el material genético en varios cromosomas separados del citoplasma.

CÉLULA EUCARIÓTICA   CÉLULA PROCARIÓTICA

retículo endoplasmático rugoso

Estructura subcelular que almacena y segrega las proteínas sintetizadas en los ribosomas.

retículo endoplasmático liso

Estructura subcelular que produce, segrega y transporta grasas por toda la célula, junto a las proteínas del retículo rugoso.

lisosomas

Orgánulos encargados de digerir el alimento que penetra en el citoplasma.

ribosomas

Orgánulos celulares que sintetizan las proteínas a partir de las moléculas de aminoácidos.

membrana celular o citoplasmática

Estructura semipermeable que rodea a la célula. A través de ella se establece la relación entre la célula y el medio externo.

citoplasma

Sustancia que ocupa toda la célula y lleva en su interior todos los orgánulos celulares, incluido el núcleo.

microvellosidades

Repliegues y sinuosidades de la membrana citoplasmática, que permiten el paso de sustancias a través de ella.

nucléolos

Orgánulos esféricos del núcleo, relacionados con la formación de los ribosomas.

microfilamentos

Orgánulos presentes en el citoplasma.

centrosoma

Corpúsculo que interviene en la mitosis o división celular.

centriolos

Partes centrales de un centrosoma.

vacuola

Pequeña cavidad en el citoplasma que se llena de jugo celular.

núcleo

Uno de los componentes fundamentales de la célula porque es el portador de los caracteres hereditarios e influye en la reproducción y transmisión de la herencia biológica.

membrana nuclear

Envoltura porosa que regula el paso de sustancias entre el núcleo y el citoplasma.

mitocondrias

Corpúsculos del citoplasma que intervienen en un gran número de reacciones químicas, como la respiración celular.

Provenimos del mar

La Tierra se formó hace unos 5 000 millones de años. Cuando su superficie se enfrió lo suficiente, se originó una corteza sólida con volcanes que vertían a la atmósfera gran cantidad de cenizas y gases (hidrógeno, metano, amoníaco, vapor de agua).

La elevada temperatura ambiental creó inmensas masas de nubes, que dieron lugar a tormentas de mucha actividad. Las primeras moléculas orgánicas fueron arrastradas por la lluvia y acumuladas en los océanos, en donde se agruparon y crearon los primeros seres vivos.

En una reconstrucción en laboratorio de la irrespirable atmósfera de la Tierra de hace 3 500 millones de años, el científico Stanley L. Miller corroboró esta teoría al constatar la formación de varios compuestos orgánicos (**aminoácidos**), fundamentales para la vida, mediante el bombardeo con descargas eléctricas.

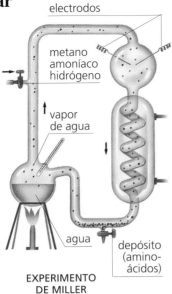

electrodos

metano
amoníaco
hidrógeno

vapor
de agua

agua

depósito
(amino-
ácidos)

EXPERIMENTO
DE MILLER

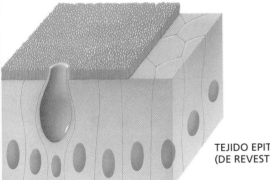

TEJIDO EPITELIAL
(DE REVESTIMIENTO)

Células, tejidos, órganos, sistemas y aparatos

Tu organismo es el resultado de estos elementos, que actúan coordinadamente para realizar con eficacia todas sus funciones vitales.

Un **tejido** es el resultado de la unión de células idénticas en su forma y estructura, organizadas para efectuar un mismo trabajo. Los distintos tejidos se unen y forman órganos, cada uno de los cuales realiza una función concreta en el ser vivo, como el corazón. Además, los **órganos** también se agrupan en un **sistema** o en un **aparato** para realizar una función, como el aparato digestivo o el sistema óseo.

El cuadro adjunto es un resumen de los distintos tipos de tejidos presentes en el organismo, cuyas principales características irás viendo al hablar de los diferentes sistemas y aparatos del cuerpo humano.

¿ Sabías que...

...existen células «de palmo»?

El tamaño de las células es muy variable, aunque la mayoría oscilan entre 5 y 60 micras (1 micra = 0,001 mm). Esto explica que no se pudieran observar antes de la invención del microscopio electrónico, que tiene una resolución comprendida entre 2 y 2000 Å (1 Å = 0,000 000 1 mm).

Algunas bacterias miden menos de 5 micras, pero otras células son «gigantes». La que más conocerás es la yema de los huevos de las aves, una verdadera célula-huevo de unos 20 mm.

Existen casos todavía más espectaculares: la célula de la acetabularia, una alga marina unicelular, mide unos 100 mm, y la del ramio, una planta herbácea, llega a 220 mm. ¡Más de un palmo!

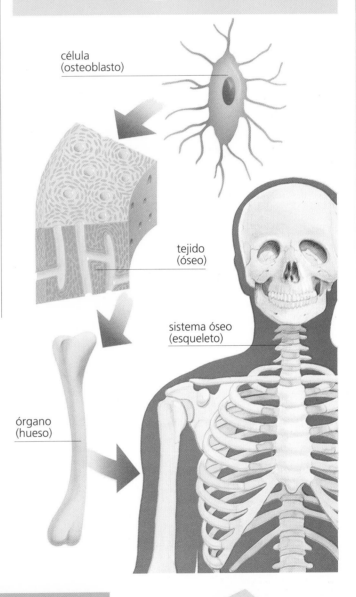

célula
(osteoblasto)

tejido
(óseo)

sistema óseo
(esqueleto)

órgano
(hueso)

TEJIDOS			
DE REVESTIMIENTO	DE SOSTENIMIENTO	MUSCULAR	NERVIOSO
Protege y recubre la superficie del cuerpo y el interior de los órganos.	Funciones varias: conjuntivo, adiposo, cartilaginoso y óseo.	Contrae y relaja músculos: tejido liso o estriado.	Genera, transmite y recibe señales: neuronas.

Las cicatrices de las heridas ceden con facilidad a presiones o estiramientos. Esto se debe a que los tejidos de cicatrización no están dotados de fibras de elastina, sustancia a la cual se debe la elasticidad de los tejidos.

Los órganos de la célula

Membrana celular o citoplasmática

La membrana citoplasmática es una fina estructura que separa el contenido celular del medio externo. Se compone de una doble capa de lípidos con moléculas de proteínas, con un grosor aproximado de 75 Å.

La membrana celular es continua, pero presenta numerosos repliegues, sinuosidades y poros, lo que le permite regular el paso de sustancias a través de ella.

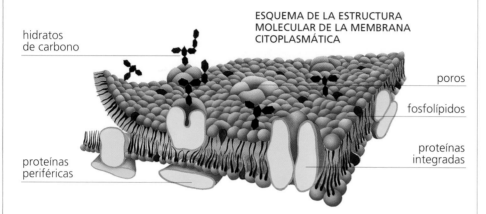

ESQUEMA DE LA ESTRUCTURA MOLECULAR DE LA MEMBRANA CITOPLASMÁTICA

hidratos de carbono

poros

fosfolípidos

proteínas integradas

proteínas periféricas

Citoplasma

El citoplasma o protoplasma es la masa orgánica comprendida entre la membrana citoplasmática y la membrana nuclear. Contiene un medio interno, el **hialoplasma**, un líquido viscoso compuesto de gran cantidad de agua y que lleva proteínas, azúcares y grasas en disolución. Es la parte de la célula dotada de actividad vital porque es en su interior donde se mueven los distintos orgánulos celulares y donde tienen lugar sus reacciones bioquímicas. Efectivamente, los orgánulos son para la célula lo que los órganos representan para tu cuerpo: productores de sustancias vitales, generadores de energía, mecanismos para la digestión y la excreción de sustancias orgánicas, etc.

Ribosomas

Los ribosomas son unos orgánulos celulares, de unos 150 Å de diámetro, que se presentan adosados a las membranas del retículo endoplasmático, o bien libres en el citoplasma.

Constan de dos subunidades. La subunidad mayor está formada por 45 moléculas de proteínas y tres de r-ARN (ácido ribonucleico ribosómico); la subunidad menor tiene 33 moléculas de proteína y una de r-ARN.

Los ribosomas se agrupan en **polisomas**, unidos por una molécula de r-ARN, que realizan la función de sintetizar las proteínas a partir de las moléculas de aminoácidos.

Retículo endoplasmático

El retículo endoplasmático es una estructura en forma de red originada, según parece, por un repliegue de la membrana citoplasmática en sí misma. Se cree que este proceso evolutivo, conocido por **invaginación**, respondería a la aparición de seres más complejos y con mayores necesidades proteínicas.

Se distinguen dos tipos de retículo, atendiendo a la presencia o no de ribosomas en sus membranas:

• *Retículo endoplasmático rugoso*: conjunto de estructuras aplanadas, unidas entre sí, que se comunican con la membrana nuclear. Tiene adosados un gran número de ribosomas, por lo que su función consiste en almacenar y segregar las proteínas sintetizadas en éstos.

• *Retículo endoplasmático liso*: red de elementos planos y tubulares que se comunica con el retículo endoplasmático rugoso. Se encarga de producir, segregar y transportar grasas por toda la célula, junto con las proteínas del retículo rugoso.

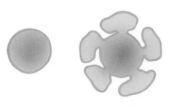

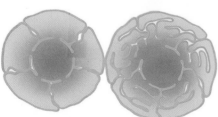

FASES DEL PROCESO DE INVAGINACIÓN

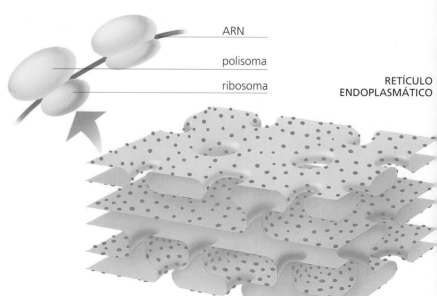

ARN

polisoma

ribosoma

RETÍCULO ENDOPLASMÁTICO

Aproximadamente una tercera parte del citoplasma es agua. También contiene un 30 % de sustancias orgánicas (carbohidratos, grasas, proteínas...) y un 2-3 % de sustancias inorgánicas.

Aparato de Golgi: lisosomas

El aparato de Golgi es un conjunto de 5 a 10 «discos» planos, en el cual se distinguen una unidad básica, la cisterna, y unos **dictiosomas** o apilamiento de cisternas. Estos dictiosomas se disgregan y se reparten por igual durante la mitosis o división celular.

Los **lisosomas**, el «estómago» de la célula, se originan a partir de vesículas del aparato de Golgi: contienen enzimas digestivos que les permiten digerir el alimento que penetra en el citoplasma. Su parte interna o **mucus** está tapizada por una gruesa capa de polisacáridos que evitan que estos enzimas destruyan el propio material celular.

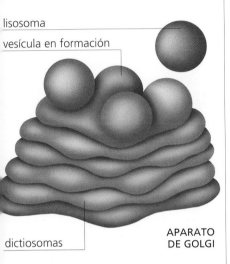

lisosoma

vesícula en formación

dictiosomas

APARATO DE GOLGI

Mitocondrias

Las mitocondrias son orgánulos redondeados o alargados, aislados y repartidos por todo el citoplasma, que contienen una disolución acuosa de enzimas capaces de realizar numerosas reacciones químicas, como la que constituye la respiración celular. Mediante este proceso se libera la energía que necesita la célula para llevar a cabo sus funciones vitales. Las mitocondrias se encuentran principalmente en las células más activas de los organismos vivos: las del páncreas y las del hígado. Una célula hepática puede llegar a contener hasta 2 500 mitocondrias.

MITOCONDRIA

Centrosoma

El centrosoma es un corpúsculo que suele aparecer junto al núcleo y que desarrolla un papel relevante en la mitosis o división celular. Consta de tres elementos:

• *Diplosoma*: está formado por dos **centriolos**, unas estructuras cilíndricas, dispuestos perpendicularmente.

• *Centrosfera*: sustancia translúcida en la que se encuentra inmerso el diplosoma.

• *Aster*: conjunto radial de filamentos que salen de la centrosfera, de vital importancia para el desarrollo de la mitosis.

Núcleo

El núcleo, uno en cada célula humana, es un componente fundamental de ésta porque es el organismo director de las funciones celulares y el portador de los caracteres hereditarios, lo que demuestra su importancia en la reproducción y en la transmisión de la herencia biológica.

En el núcleo, cuyo tamaño oscila entre 5-30 micras, se pueden distinguir los siguientes elementos:

• *Membrana nuclear*: es doble y permite el paso recíproco de sustancias entre el núcleo y el citoplasma gracias a su estructura porosa.

• *Plasma nuclear*: líquido claro y viscoso donde se sumergen las demás estructuras nucleares.

• *Nucléolo*: corpúsculo esférico, que aparece aislado o en grupos, relacionado con la formación de los ribosomas.

• *Cromatina*: sustancia que puede adoptar diversas tonalidades y que está formada por largos filamentos de ADN (ácido desoxirribonucleico). Éstos presentan unas partículas, los genes, que contienen, cada uno de ellos, información sobre una determinada función celular.

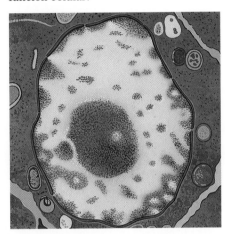

NÚCLEO CELULAR
(VISTO CON MICROSCOPIO ELECTRÓNICO)

NÚCLEO DE UNA CÉLULA TIPO

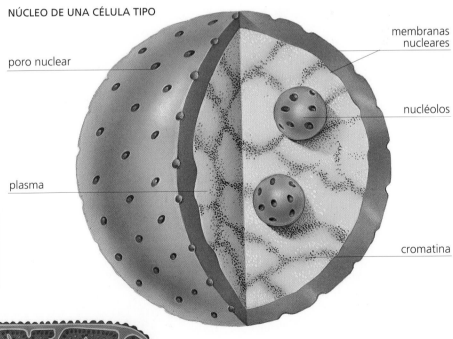

poro nuclear

plasma

membranas nucleares

nucléolos

cromatina

Las células de la piel duran cerca de una semana antes de morir. Las células sanguíneas rojas viven unos 4 meses, y las células óseas, de 10 a 30 años.

La actividad celular

De padres a hijos, gracias a los cromosomas

El núcleo de la célula sufre diversos cambios cuando ésta comienza a reproducirse: desaparecen la membrana y los nucléolos, al tiempo que la cromatina se va haciendo más densa hasta formar unos filamentos más gruesos, los **cromosomas**. Un cromosoma está constituido por dos mitades iguales, las **cromátidas**, unidas en un estrechamiento, el **centrómero**.
Nuestras células, y todas las células animales o vegetales, se someten a la denominada *ley de la constancia numérica*, según la cual el número de cromosomas de una determinada especie es fijo.

Además, los cromosomas se distribuyen por parejas idénticas entre sí. En cada célula de nuestro cuerpo hay 23 parejas de cromosomas, que presentan varias moléculas de ADN alargadas. Una molécula de ADN toma la forma de una doble hélice constituida por dos grupos de azúcar-fosfato, de donde emergen las bases nitrogenadas (purinas y pirimidinas), a manera de peldaños de una curiosa escalera de caracol.
A lo largo de cada cromosoma se encuentran los **genes** responsables de la herencia, la transmisión genética de padres a hijos. Son ellos los que han determinado el color de tus ojos y el de tu piel, la forma de tu nariz, etc.

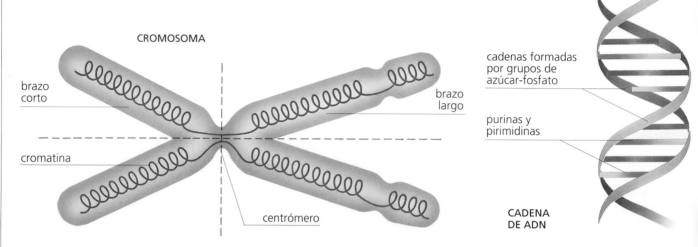

CROMOSOMA

brazo corto

brazo largo

cromatina

centrómero

cadenas formadas por grupos de azúcar-fosfato

purinas y pirimidinas

CADENA DE ADN

1 célula + mitosis = = 2 células

Esta especie de fórmula matemática no es más que una manera sencilla de que recuerdes la importancia del proceso de división de las células, fundamental para la perpetuación de la especie biológica. Podemos distinguir dos tipos de reproducción celular humana: la **meiosis** y la **mitosis**. En la meiosis, que sólo se da en los gametos (células sexuales), las células hijas quedan con la mitad de cromosomas que la célula madre, mientras que la mitosis proporciona una descendencia de células idénticas a la célula madre.
La mitosis es la forma más común de división en las células, con lo que se asegura un reparto equitativo del material nuclear de los cromosomas. Comprende cuatro fases:

• *Profase*: la cromatina se va haciendo menos densa, comienzan a verse los cromosomas y desaparece el nucléolo. El centriolo se divide en dos partes, cada una hacia un polo de la célula, unidas por los filamentos del **huso acromático** que empieza a formarse. Desaparece la membrana nuclear, y los cromosomas libres se espiralizan y se pegan a los filamentos del huso acromático.

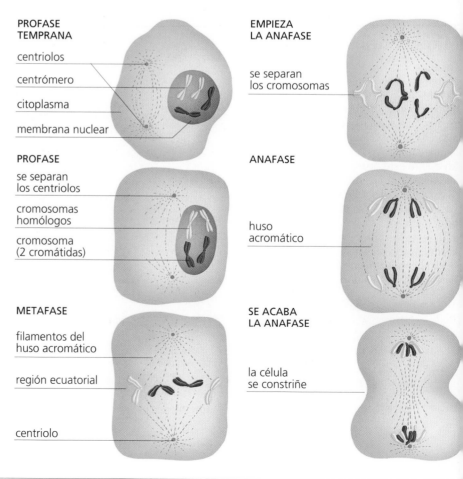

PROFASE TEMPRANA

centriolos

centrómero

citoplasma

membrana nuclear

PROFASE

se separan los centriolos

cromosomas homólogos

cromosoma (2 cromátidas)

METAFASE

filamentos del huso acromático

región ecuatorial

centriolo

EMPIEZA LA ANAFASE

se separan los cromosomas

ANAFASE

huso acromático

SE ACABA LA ANAFASE

la célula se constriñe

¿Cómo obtenemos energía?

Las funciones de nutrición de la célula están destinadas a proporcionarnos alimentos y energía para asegurar nuestra conservación por medio del **metabolismo celular**.

Esta alimentación de la célula puede ser **autótrofa**, cuando la célula transforma la materia inorgánica (gas carbónico, agua, sales minerales) en materia orgánica propia gracias a la luz del sol, o **heterótrofa**, caracterizada por el consumo de materia orgánica ya formada. El primer caso es el de las plantas con clorofila, y el segundo es el que corresponde al ser humano y a los animales.

En el metabolismo se distinguen dos procesos:

• *Catabolismo*: etapa en la cual la célula desintegra los productos elaborados o absorbidos por ella, con lo que genera energía y crea productos de desecho.

• *Anabolismo*: etapa en la que se sintetizan las moléculas ricas en energía, a partir de la fotosíntesis (célula autótrofa) o de la ingestión (célula heterótrofa). El exceso de productos sintetizados se almacena en el citoplasma como sustancia de reserva.

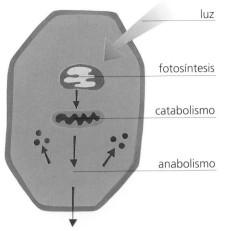

CÉLULA AUTÓTROFA

luz

fotosíntesis

catabolismo

anabolismo

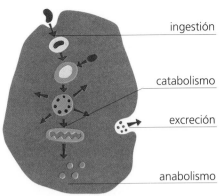

CÉLULA HETERÓTROFA

ingestión

catabolismo

excreción

anabolismo

El microscopio electrónico, que ha permitido observar estructuras celulares no visibles con los tradicionales microscopios ópticos, no utiliza la luz: emplea haces de electrones previamente acelerados, que se enfocan sobre el objeto mediante campos magnéticos y proporcionan imágenes fotográficas de hasta dos millones de aumentos.

La **caspa** son pequeñas escamas blancas, formadas por grupos de células muertas de la piel del cráneo, mezcladas con una sustancia grasa, el sebo, fabricada por unas pequeñas glándulas.

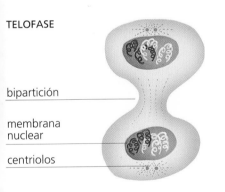

TELOFASE

bipartición

membrana nuclear

centriolos

• *Metafase*: termina la formación del huso acromático y la colocación de los cromosomas en la región ecuatorial.

• *Anafase*: los filamentos del huso acromático tiran de las células y se separan las cromátidas de los cromosomas.

• *Telofase*: las cromátidas se colocan en los polos de la célula y se agrupan para tomar el aspecto de cromatina, alrededor de la cual aparece una membrana nuclear. Finalmente, la membrana citoplasmática se estrecha por su zona central y se divide, con lo que se completa el proceso de división de una célula.

Prevención y salud

Quizá el **cáncer** sea una de las principales causas de mortalidad en nuestro tiempo: sólo en España se ha calculado que provoca la muerte de 90 000 personas al año.

EL término cáncer agrupa un conjunto de patologías que se caracterizan por el crecimiento incontrolado de las células de un órgano que, al dividirse desordenadamente, llegan a formar una masa de tejido o tumor.

Las causas no están totalmente establecidas, aunque se sabe que intervienen factores genéticos y ambientales, tanto físicos como químicos (como el alquitrán del tabaco).

Las posibilidades de curación del cáncer pasan por un diagnóstico precoz de la enfermedad, es decir, por descubrirlo a tiempo, aunque también puede prevenirse con cuatro sencillos consejos:

• **Consume regularmente fruta y verdura.**

• **No fumes**: el tabaco perjudica al fumador y a los «fumadores pasivos», que se ven obligados a respirar el humo del tabaco en contra de su voluntad.

• **No te expongas excesivamente a la acción de los rayos solares.**

• **No ingieras grasas ni bebidas alcohólicas en exceso.**

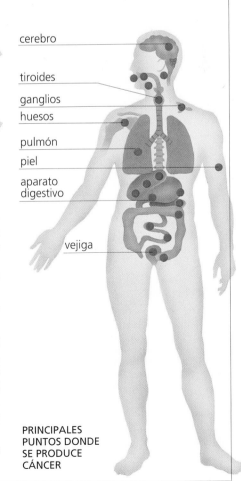

cerebro

tiroides

ganglios

huesos

pulmón

piel

aparato digestivo

vejiga

PRINCIPALES PUNTOS DONDE SE PRODUCE CÁNCER

El aparato digestivo

l cuerpo humano necesita energía para su funcionamiento, por lo que debe tomar **alimentos**. Estos no son absorbibles tal cual, sino que han de someterse a un proceso de preparación que posibilite su asimilación.

Este proceso constituye la digestión, un conjunto de transformaciones físicas, químicas y biológicas que convierten los hidratos de carbono, las grasas y las proteínas de los alimentos en sustancias aprovechables por el organismo.

El aparato digestivo, que se extiende desde la boca hasta el ano con una longitud de casi 12 metros, actúa en dos fases. La fase mecánica tiene lugar básicamente en la boca y consiste en la reducción del alimento que ingerimos en partículas lo suficientemente pequeñas para que las podamos tragar con facilidad. La fase química representa la transformación de los alimentos en sustancias asimilables por el organismo, lo que se consigue mediante la acción de varios jugos segregados por diversas glándulas.

glándulas salivares

Son tres parejas de glándulas que producen saliva, que lubrica e inicia el tratamiento químico de los alimentos.

boca

Cavidad donde se efectúa la masticación y la insalivación de los alimentos. En ella residen los dientes y la lengua, que amasa y reparte el alimento entre ellos, mientras éstos lo mastican.

hígado

Órgano indispensable para la vida del cuerpo. Almacena glucógeno, que es una reserva de energía, y segrega bilis, imprescindible para la absorción de las grasas.

vesícula biliar

Órgano ubicado en la zona inferior del hígado, que almacena la bilis y la cede al intestino.

páncreas

Glándula de secreción mixta, situada debajo del estómago, que segrega insulina, hormona que regula el metabolismo de la glucosa, y jugo pancreático.

apéndice

Pequeño órgano vermicular (con forma de gusano) sin misión específica alguna.

epiglotis

Cartílago situado entre la laringe y la faringe que, a modo de válvula, impide que el bolo alimenticio se dirija hacia las vías respiratorias.

esófago

Conducto que une la faringe con el estómago. Los músculos que forman sus paredes internas efectúan unas contracciones para empujar el bolo alimenticio hacia el estómago.

estómago

Órgano situado en la cavidad abdominal, entre el esófago y el intestino delgado. Recibe los alimentos ya insalivados y masticados, los mezcla con el jugo gástrico y los vacía lentamente a través del píloro.

intestino delgado

Parte del tubo digestivo, de 4 a 7 metros de longitud, en la que se vierten los jugos pancreático, biliar e intestinal, y se absorben las sustancias nutrientes.

intestino grueso

Parte final del tubo digestivo, constituida por el ciego, el colon y el recto, en donde se reabsorbe el agua de los alimentos y se forman las heces a partir de las sustancias no digeridas.

recto

Parte final del intestino grueso y del tubo digestivo, que conecta el colon con el exterior.

Comer para vivir

El oxígeno contenido en el aire es el único elemento necesario para vivir que las células absorben directamente. El resto de nutrientes imprescindibles provienen de la asimilación de los alimentos, que cumplen tres funciones básicas en nuestro organismo:

● Proporcionan energía para que puedas realizar movimientos y para que todos los órganos funcionen correctamente.

● Aportan el material necesario para tu crecimiento, y para la renovación y reparación de los diversos tejidos.

● Aportan las sustancias necesarias para la regulación del metabolismo.

Los alimentos están formados por moléculas demasiado grandes para que las paredes del intestino delgado puedan absorberlas. Es durante la digestión cuando los diferentes jugos transforman el alimento en partículas más pequeñas, y cuando sus sustancias químicas, los enzimas, transforman los componentes básicos de los alimentos en nutrientes aprovechables por el organismo.

Estos componentes básicos son los hidratos de carbono y las grasas, que cumplen una función energética, junto con las proteínas, con una función plástica o de regeneración, aunque también necesitamos sales minerales, vitaminas y agua.

Los **hidratos de carbono** son la mayor fuente de energía. A través de la digestión se transforman en azúcares y, posteriormente, en glucosa, que pasa a la sangre o bien se reserva su exceso, en forma de glucógeno, en los músculos y en el hígado.

Las **grasas**, una vez tratadas, son absorbidas por los capilares linfáticos del intestino delgado y pasan a la sangre. La grasa sobrante se acumula bajo la piel, generando los famosos «michelines».

Las **proteínas** son el material empleado para compensar los millones de células que mueren cada día, regenerar los tejidos y asegurar el crecimiento del cuerpo. Están formadas básicamente por moléculas de **aminoácidos**: algunos los fabrica el propio cuerpo, pero otros, los **aminoácidos esenciales**, se han de elaborar con las proteínas aportadas por los alimentos.

Nuestro organismo también necesita varios elementos inorgánicos

de los alimentos, las **sales minerales**, que en el cuerpo forman parte de sales cristalizadas o bien disueltas en las células y en la sangre: calcio, hierro, sodio, potasio, magnesio, flúor, yodo, etc.

Las **vitaminas** no tienen un valor nutritivo, pero podrían compararse al lubricante que necesitan los engranajes de una maquinaria para que ésta se ponga en movimiento: regulan muchas funciones del organismo y nos protegen de enfermedades e infecciones.

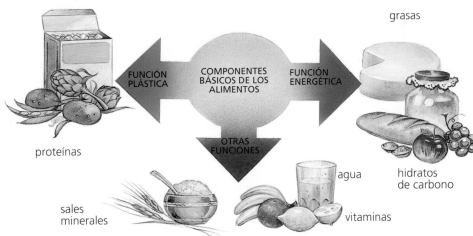

grasas

FUNCIÓN PLÁSTICA — COMPONENTES BÁSICOS DE LOS ALIMENTOS — FUNCIÓN ENERGÉTICA

OTRAS FUNCIONES

proteínas

sales minerales

agua

hidratos de carbono

vitaminas

ALIMENTOS RICOS EN		
HIDRATOS DE CARBONO	GRASAS	PROTEÍNAS
Miel	Leche	Legumbres
Frutas	Queso	Carne e hígado
Pan	Productos lácteos	Leche y derivados
Pastas	Huevos	Pan, cereales
Arroz	Frutos secos	Frutos secos
Patatas	Pescado azul	Guisantes
Hortalizas	Aceites	Espinacas
	Carnes grasas	Alcachofas

Finalmente, el **agua**, que se encuentra en todos los alimentos, es un elemento imprescindible para el organismo: representa el 60-70 % del peso total del cuerpo. Por su vital importancia, no es extraño que la sed sea un estímulo más acusado que la sensación de hambre.

Los órganos del aparato digestivo

Boca y faringe

La función más importante de la boca es ser la vía de entrada del tubo digestivo. En ella se realiza la **masticación** y la **insalivación** de los alimentos. En la masticación intervienen los dientes, que cortan, desgarran y trituran los alimentos, y el movimiento de las mandíbulas. La insalivación es la mezcla de los alimentos, triturados por los dientes, con la saliva para humedecerlos e iniciar su tratamiento químico.

La **lengua**, formada por un conjunto de músculos, amasa y reparte el alimento entre los dientes y colabora en la deglución del bolo alimenticio porque lo empuja hacia la **faringe**, conducto membranoso que se extiende desde el velo del paladar hasta el **esófago**. La lengua se une al maxilar inferior, a través de un pequeño pliegue o **frenillo**, y también al **hueso hioides**, lo que le otorga una gran movilidad.

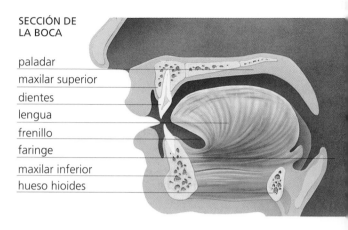

SECCIÓN DE LA BOCA

- paladar
- maxilar superior
- dientes
- lengua
- frenillo
- faringe
- maxilar inferior
- hueso hioides

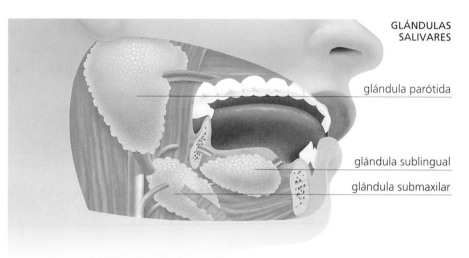

GLÁNDULAS SALIVARES

- glándula parótida
- glándula sublingual
- glándula submaxilar

La **saliva** limpia la boca de numerosos gérmenes y humedece y ablanda los alimentos para que, una vez masticados por los dientes, los podamos tragar. La saliva la producen tres parejas de **glándulas salivares**: las parótidas, las submaxilares y las sublinguales. La secreción de las glándulas salivares contiene dos enzimas, la mucina y la tialina, que inicia la transformación de las moléculas de almidón en azúcares.

Los **dientes** se hallan dispuestos en dos hileras, llamadas **arcos dentales**, alojadas cada una en el hueso maxilar superior y en el inferior. En cada diente se pueden distinguir tres partes:

- *Raíz*: parte oculta en el hueso maxilar y unida a él por un tejido de vasos sanguíneos, nervios y fibras.

- *Cuello*: parte intermedia, recubierta por la encía.

- *Corona*: parte externa y visible, que sobresale de la encía.

La forma de la corona depende de la función que desempeñe el diente: afilada para cortar, puntiaguda para desgarrar, o plana y ancha para triturar.

Esófago

El esófago es un conducto, de unos 25 cm de longitud, que une la faringe con el estómago. Sus paredes internas están formadas por músculos que, mediante **movimientos peristálticos**, se contraen y hacen progresar el bolo alimenticio a lo largo de él. Estas contracciones son tan potentes que funcionan incluso contra la gravedad, lo que nos permite tragar estando boca abajo. En la parte superior del esófago se halla la **epiglotis**, pequeña «válvula» que cierra la laringe en el momento de tragar e impide que el bolo alimenticio entre en las vías respiratorias.

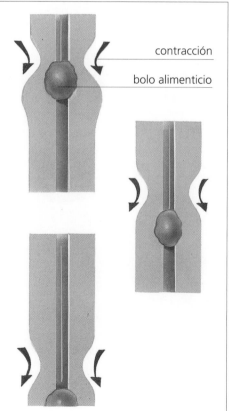

- contracción
- bolo alimenticio

MOVIMIENTOS PERISTÁLTICOS

PIEZA DENTAL

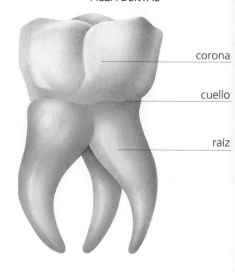

- corona
- cuello
- raíz

Estómago

El estómago es una cavidad situada entre el esófago y el intestino delgado, de unos 25 cm de largo, 12 cm de diámetro y 1 300 cm³ de capacidad.
Cuenta con dos aberturas, una en cada extremo. La abertura superior o **cardias** impide el reflujo de los alimentos, y la inferior o **píloro** permanece cerrada hasta que el intestino delgado puede admitir las sustancias transformadas en el estómago.
Su pared interior está recubierta por una membrana, la **mucosa**, que forma numerosos pliegues en los que se hallan unos 5 millones de glándulas secretoras de **jugo gástrico**.

Por tanto, la misión del estómago es recibir los alimentos ya insalivados y masticados, mezclarlos con el jugo gástrico secretado y vaciarlos lentamente a través del píloro.
Esta acción química del jugo gástrico se debe a sus componentes: ácido clorhídrico y dos enzimas, la pepsina y la lipasa. Mientras que los hidratos de carbono no experimentan transformaciones en el estómago, la pepsina transforma las proteínas en aminoácidos y la lipasa actúa sobre las grasas.

esófago

cardias

curvatura menor

mucosa

píloro

curvatura mayor

SECCIÓN DEL ESTÓMAGO

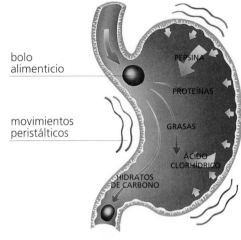

bolo alimenticio

movimientos peristálticos

PEPSINA

PROTEÍNAS

GRASAS

ÁCIDO CLORHÍDRICO

HIDRATOS DE CARBONO

El hígado cambia de tamaño con el paso del tiempo. En la edad adulta pesa 1 200-1 500 g en vacío, pero a partir de los 50 años de edad empieza a atrofiarse y disminuye su peso hasta llegar a 800-1 000 g en la vejez. Vivo y funcionando, el hígado puede superar los 2 500 g de peso.

Hígado

El hígado es la glándula más grande del cuerpo, pesa 1,5 kg aproximadamente y tiene un color pardo-rojizo. También es uno de los órganos del cuerpo que desempeña un mayor número de funciones, por lo que puede considerarse como un laboratorio en miniatura, imprescindible para vivir: filtra y purifica la sangre, almacena en forma de glucógeno la glucosa en la que se han transformado los alimentos y, sobre todo, fabrica bilis.
Este órgano se divide en cuatro lóbulos: el derecho, el izquierdo, el cuadrado o anterior, y el de Spiegel o posterior.
Microscópicamente, lo

constituyen unas 50 000 o 100 000 unidades funcionales denominadas **lobulillos**, diminutas estructuras cilíndricas de tejido hepático dispuestas alrededor de una vena central. La sangre penetra en el hígado por la vena porta y se distribuye por su interior a través de venas más pequeñas, hasta llegar a la superficie de los lobulillos. Estos se componen de numerosas células

hepáticas o **hepatocitos**, encargados de tratar y filtrar la sangre y de elaborar la bilis.
La sangre fluye hacia la vena cava y la bilis circula entre los lobulillos por unos conductos muy delgados, los **capilares biliares**, hasta llegar a la **vesícula biliar**, un pequeño saco que sirve de almacén de la bilis. Cuando hay alimentos en el duodeno, la vesícula vierte la bilis en el **conducto cístico**, la cual discurre por el **conducto hepático** y el **colédoco** para entrar en el duodeno por la **ampolla de Vater**.

lóbulo izquierdo

ligamentos

conducto hepático

lóbulo derecho

vesícula biliar

duodeno

ampolla de Vater

conducto cístico

colédoco

conducto pancreático

HÍGADO

canal biliar

vena

arteria

células hepáticas

LOBULILLO HEPÁTICO (SECCIÓN)

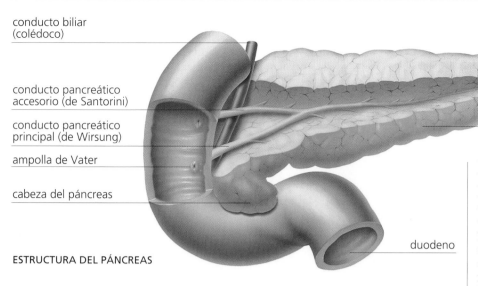

conducto biliar
(colédoco)

conducto pancreático
accesorio (de Santorini)

conducto pancreático
principal (de Wirsung)

ampolla de Vater

cabeza del páncreas

ESTRUCTURA DEL PÁNCREAS

cola del páncreas

cuerpo del páncreas

duodeno

Páncreas

El páncreas es una glándula situada
debajo del estómago, de 15 a 20 cm
de longitud, de secreción interna
y externa. Es de secreción interna
al producir una hormona, la **insulina**,
que transforma la glucosa en glucógeno,
fuente de energía imprescindible para
los músculos. También es de secreción
externa porque vierte en el duodeno
los enzimas del jugo pancreático.
La parte del páncreas que segrega
el jugo pancreático, fundamental para la
transformación total de los alimentos,
la constituyen numerosos lóbulos.
De éstos salen varios conductos,
que se unen para formar otros dos
mayores: el conducto de Wirsung
y el conducto de Santorini.
A través de estos conductos llega
al duodeno el jugo pancreático, que
es una rica combinación de enzimas:
la tripsina convierte las moléculas
de proteínas en aminoácidos, la amilasa
y la maltosa descomponen los hidratos
de carbono en glucosa, y la lipasa
continúa la transformación
de las grasas en ácidos grasos.

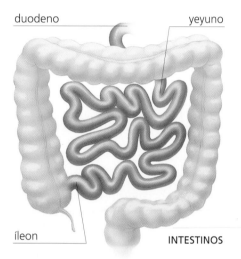

duodeno

yeyuno

íleon

INTESTINOS

Intestino grueso

Las sustancias no absorbidas por
las vellosidades del intestino delgado
forman una pasta espesa que, después
de recorrer el intestino grueso, de
1,5 m de longitud, se expulsa al
exterior en forma de heces.
Este órgano presenta tres tramos:

• *Ciego*: parte donde desemboca el
intestino delgado. Presenta un pequeño
órgano, el **apéndice vermicular**,
en forma de gusano, que no cumple
función alguna.

• *Colon*: conecta el ciego con el recto y
se divide en ascendente, transverso
y descendente. Su función consiste
en reabsorber el agua contenida en
los alimentos.

• *Recto*: parte final del tubo digestivo.
Comienza con un tramo ancho, la
ampolla rectal,
que se va
estrechando hasta
llegar al **orificio
anal**, por donde se
expulsan las heces.

Intestino delgado

El intestino delgado, que se extiende
desde el píloro hasta el intestino
grueso, es uno de los conductos más
largos del cuerpo humano: mide entre
6 y 7 m de longitud y su diámetro
va disminuyendo desde 30 a 15 mm.
Se divide en tres partes:

• *Duodeno*: es el tramo situado a la
salida del estómago. Su interior está
recubierto por una membrana mucosa,
lisa al principio y con numerosos
pliegues después. En él se vierten los
jugos pancreático, biliar y del propio
intestino.

• *Yeyuno* e *íleon*: son los dos tramos
siguientes, que no presentan una
separación definida.

En el intestino delgado se segregan
otros enzimas, que continúan
la transformación de los componentes
básicos de los alimentos y completan
la digestión, y se produce la absorción
de las sustancias nutritivas de los
alimentos a través de las vellosidades
intestinales.

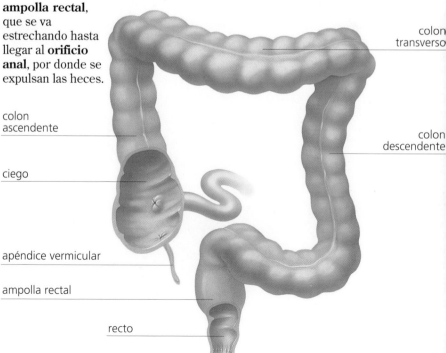

colon
transverso

colon
ascendente

colon
descendente

ciego

apéndice vermicular

ampolla rectal

recto

orificio anal

INTESTINO GRUESO

Los dientes

Dientes: duros y especializados

Los dientes son piezas muy resistentes porque la capa externa de la corona está recubierta de **esmalte**, el material más duro del cuerpo humano. Esta capa externa tiene dos funciones: evitar el desgaste del diente y permitir la masticación.

El esmalte, que no posee nervios ni vasos sanguíneos, está formado de un tipo de fosfato de calcio fluorado, y lo recubre una cutícula dental que aumenta su resistencia.

La capa externa de la raíz está constituída por el **cemento**, una especie de tejido óseo. Internamente, debajo del esmalte y del cemento, existe otra gruesa capa de tejido, la **dentina**.

La cavidad central del diente es una masa blanda y esponjosa, la **pulpa**, a la cual llegan numerosos vasos sanguíneos y nervios procedentes de la raíz.

La dentadura es también una estructura muy especializada, ya que los cuatro tipos de dientes, distribuídos por igual entre las mandíbulas superior e inferior, realizan una función distinta en la masticación.

Los ocho dientes **incisivos**, situados en la parte delantera del arco dental, poseen una corona en forma de cizalla, lo que los hace aptos para cortar y partir los alimentos.

Los cuatro dientes **caninos**, situados al lado de los anteriores, presentan una corona puntiaguda, con la cual ayudan a los incisivos y se han especializado en desgarrar algunos alimentos. Por ejemplo, fíjate cómo haces trabajar los caninos cuando comes carne.

Los ocho dientes **premolares**, dos a cada lado de los caninos, tienen una corona cúbica que tritura y mastica los alimentos.

Los doce dientes **molares**, situados al final del arco dental, trabajan conjuntamente con los premolares para triturar los alimentos. Tienen una raíz muy fuerte, dividida en dos, tres o más ramas. Los últimos molares, dos en cada mandíbula, se llaman **muelas del juicio** y salen entre los 20 y los 30 años de edad, cuando se supone que has adquirido un cierto grado de buen sentido o juicio, de ahí su nombre.

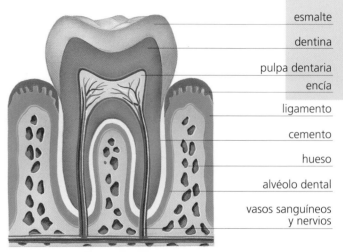

SECCIÓN DE UN DIENTE

esmalte
dentina
pulpa dentaria
encía
ligamento
cemento
hueso
alvéolo dental
vasos sanguíneos y nervios

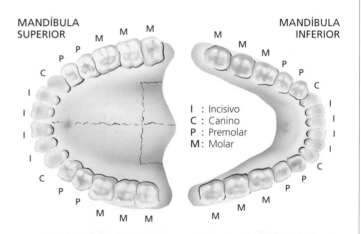

MANDÍBULA SUPERIOR   MANDÍBULA INFERIOR

I : Incisivo
C : Canino
P : Premolar
M: Molar

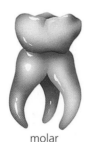

incisivo   canino   premolar   molar

Dientes «de leche»

A lo largo de su vida, el ser humano tiene dos denticiones. La primera dentadura empieza a aparecer entre los seis y los ocho meses de edad, y se llama «de leche» porque la alimentación del recién nacido es básicamente láctea. Esta primera dentadura, que se completa hacia los dos años o dos años y medio, presenta 20 piezas: ocho incisivos, cuatro caninos y cuatro molares. En el interior de los maxilares va creciendo el germen de los dientes definitivos, que a su debido tiempo «empujarán» a los dientes de leche, los harán caer y los sustituirán por la segunda y última dentadura, de 32 piezas.

¿ Sabías qué...

...funciones tienen los dientes de algunos animales?

La ballena azul no tiene dientes. Posee dos hileras de delgadas láminas, las barbas, con las que retienen el pláncton del agua.

Los carnívoros atacan y sujetan a sus presas con sus afilados caninos, y luego trituran y desmenuzan la carne con sus fuertes molares.

Algunas serpientes, como la víbora, utilizan sus dientes para inocular veneno a través de ellos.

Los anfibios poseen dientes caducos y, en general, poco desarrollados, mientras que en los reptiles, en cambio, están bien desarrollados y se renuevan hasta 20 veces: son animales polifiodontos, como el cocodrilo.

Los incisivos del caballo y del conejo, y los colmillos del elefante y del jabalí son de crecimiento continuo porque la irrigación sanguínea se mantiene abundante durante toda su vida, con lo que no se desgastan nunca. Algunos colmillos de elefante, de los que sólo vemos la mitad de su longitud total, han llegado a medir 3,5 m de largo y pesar más de 30 kg.

Procesos digestivos

La acción de tragar

Los dientes mastican los alimentos y la lengua los mezcla con saliva para formar el **bolo alimenticio**. Un enzima de la saliva, la tialina, convierte las moléculas de almidón de los hidratos de carbono en azúcares, asimilables con mayor facilidad.

La acción de tragar empieza cuando la lengua golpea el paladar o parte superior de la boca y empuja el bolo hacia la faringe, lugar de confluencia con las fosas nasales.

El paladar termina en una membrana musculosa, el **velo del paladar**, que cierra la comunicación de la faringe con las fosas nasales cuando la lengua impulsa el bolo. Esto impide que el alimento vaya hacia arriba, hacia la nariz. Posteriormente, una membrana denominada **epiglotis** cerrará la laringe e impedirá que el bolo alimenticio entre en las vías respiratorias.

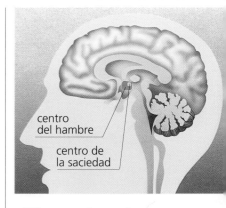

centro del hambre

centro de la saciedad

¿Tienes hambre o estás harto?

El deseo de comer está regulado por el cerebro a través del **centro del hambre** y del **centro de la saciedad**: cuando se estimula el centro del hambre, sientes apetito, y si el estímulo llega al centro de la saciedad, disminuye el deseo de comer.

Esta información que llega al cerebro procede, básicamente, del estómago. Cuando permanece mucho tiempo sin recibir alimento, el estómago manifiesta esta circunstancia mediante la contracción de los músculos que forman sus paredes. Contrariamente, cuando el estómago está lleno, informa al centro de la saciedad para que regule el apetito.

Los sentidos, como la vista, el olfato o el gusto, también informan a los centros reguladores para que estimulen la secreción de jugos digestivos.

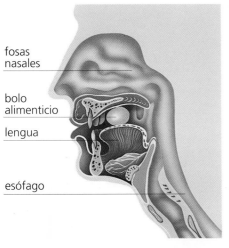

fosas nasales

bolo alimenticio

lengua

esófago

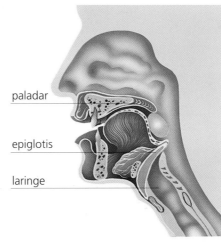

paladar

epiglotis

laringe

Un problema bien resuelto

Nuestro organismo nos reclama siempre un suministro constante de alimento, a pesar de que sólo comemos a intervalos regulares y alternamos las comidas con muchas otras actividades.

Parte de este problema lo resuelve el hecho de tener un intestino delgado largo, que obliga a que el paso de la comida por él dure varias horas. Además, en el intestino delgado se produce el reparto de los componentes básicos de los alimentos.

Este reparto se realiza mediante la absorción de los nutrientes a través de las paredes de este órgano, constituidas por unas fibrillas o **vellosidades intestinales** que están ligadas a capilares sanguíneos y linfáticos.

Algunas sustancias absorbidas las reparte directamente la circulación sanguínea por todo el cuerpo, pero otras toman vías diferentes. Los **hidratos de carbono**, convertidos en azúcares simples, y las **proteínas**, transformadas en aminoácidos, se dirigen a través de la vena porta hacia el hígado, órgano encargado de su almacenamiento y distribución. Las **grasas**, convertidas en ácidos grasos y glicerina, se transforman en grasas más asimilables dentro del sistema linfático, desde donde penetran en el riego sanguíneo.

Los labios presentan su color rojo característico debido a la sangre de los pequeños capilares que los irrigan. La piel de los labios es mucho más fina que la capa exterior del resto de piel del cuerpo, por lo que se ven mucho más los vasos sanguíneos.

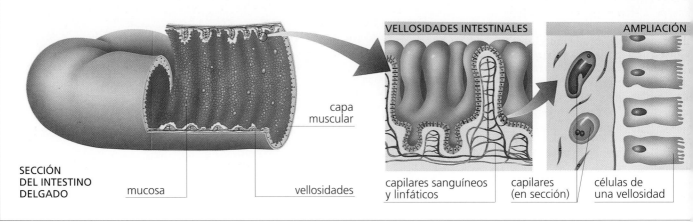

SECCIÓN DEL INTESTINO DELGADO

mucosa

capa muscular

vellosidades

VELLOSIDADES INTESTINALES

capilares sanguíneos y linfáticos

AMPLIACIÓN

capilares (en sección)

células de una vellosidad

Aprovechando hasta la última gota

El cuerpo humano es muy avaro y antes de excretar definitivamente cualquier substancia se asegura de que esta ya no le sirve para nada y se ha convertido en un elemento nocivo. El **hígado**, que realiza más de 500 funciones, tiene un papel fundamental para conseguir este objetivo: segrega diariamente entre 700 y 1 200 ml de **bilis**, un líquido espeso, amarillo-verdoso y ligeramente alcalino, compuesto básicamente por agua, sales biliares, sales inorgánicas, pigmentos biliares, ácidos biliares, grasas y colesterol.
Las **sales biliares** convierten las grasas en una fina emulsión y facilitan su absorción intestinal. Los **pigmentos biliares**, es decir, la **bilirrubina** (de color rojo) y la **biliverdina** (de color verde) son derivados de la hemoglobina y representan uno de los productos finales de la desintegración de los glóbulos rojos. La bilirrubina sufre, en el intestino, una serie de reacciones de la flora bacteriana, que la oxidan y la transforman en **estercobilina**, el pigmento marrón característico de las heces.
Algunos de los productos intermedios de esta transformación son reabsorbidos por la mucosa intestinal y llevados a los riñones, donde se

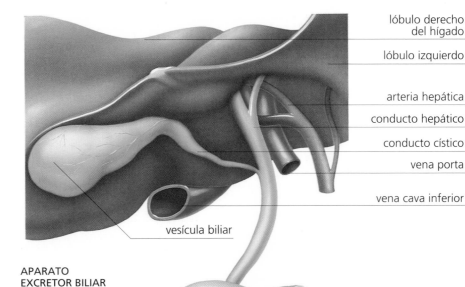

lóbulo derecho del hígado
lóbulo izquierdo
arteria hepática
conducto hepático
conducto cístico
vena porta
vena cava inferior
vesícula biliar

APARATO EXCRETOR BILIAR

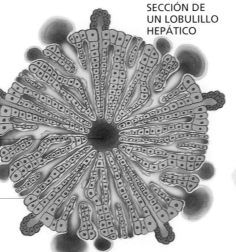

conducto pancreático de Wirsung
colédoco
papila duodenal mayor

duodeno

convierten en urobilina, que forma parte del pigmento propio de la orina. El hígado también se encarga de todos los desechos no alimenticios y sustancias tóxicas que pueden aparecer en la sangre, como los residuos de los medicamentos que ingerimos. Mediante un proceso de **desasimilación**, el hígado aísla cuidadosamente las impurezas y las transforma en sustancias inocuas, que son eliminadas por los órganos correspondientes.

SECCIÓN DE UN LOBULILLO HEPÁTICO

canal biliar
rama de la vena hepática
venilla central
rama de la arteria hepática
hepatocitos

Durante su vida, una persona normal come unos 30 000 kg de alimentos, lo que equivale a comerse unos seis elefantes.

Células inteligentes

Una de las propiedades más importantes del hepatocito o célula hepática es su capacidad de reproducirse para reemplazar las células del lobulillo que han degenerado o han muerto.
El hepatocito sólo vive entre 3 y 500 días, pero su desaparición se cubre con rapidez.
El hígado también es el único órgano humano con capacidad de regeneración masiva. En caso de agresión o enfermedad, cuando mueren súbitamente millones de hepatocitos (necrosis), las células hepáticas son capaces de regenerar en unos cuatro meses las tres cuartas partes del volumen de un hígado. Además, los hepatocitos también «saben» cuándo han de frenar esta actividad reproductora anormal.

Prevención y salud

El síntoma más llamativo de las enfermedades hepático-biliares es la **ictericia**, una coloración amarillo-verdosa de la piel, las mucosas y otros tejidos orgánicos. Su causa es la presencia de pigmentos biliares en la sangre, como la bilirrubina, que se depositan en estos tejidos.
Una de estas enfermedades más conocidas es la **hepatitis**, una inflamación de las células hepáticas. Las formas más comunes son las producidas por virus, que se multiplican con rapidez y son extraordinariamente resistentes: en el exterior, y a temperaturas de 10 °C, pueden vivir hasta un año.
La **hepatitis A,** o infecciosa, es la más extendida, pero también la más benigna. Casi siempre se halla asociada a la falta de higiene, al no existir un correcto tratamiento de las aguas residuales, y se transmite por vía oral-fecal.
La **hepatitis B** se transmite mediante las transfusiones de sangre, la saliva y otros tipos de contacto.
También existen **hepatitis tóxicas**, es decir, no víricas, como la producida por el abuso de alcohol.

La composición de los alimentos

¿Calorías o kilocalorías?

El proceso de producción y consumo de energía por parte del cuerpo humano es lo que se conoce por **metabolismo**, un conjunto de reacciones químicas cuyo objetivo es obtener la energía necesaria para el funcionamiento vital de los órganos y sintetizar las sustancias precisas para la regeneración de los tejidos y el crecimiento del cuerpo. Esta energía se expresa en **calorías**, unidad de medida de la energía suministrada por los alimentos. Como esta unidad es demasiado pequeña, en la práctica se utiliza la **kilocaloría** (kcal), que equivale a 1 000 calorías. Sin embargo, seguro que comúnmente habrás oído decir que *tal alimento tiene tantas calorías*. Esta medida es errónea, aunque es la que la gente suele emplear con más frecuencia. Una persona adulta con un trabajo sedentario necesita 2 500 o 3 000 kcal diarias, pero la demanda de energía aumenta si se realiza un trabajo pesado, un ejercicio físico intenso o se vive en un clima frío. También el metabolismo propio de cada persona influye en el gasto de energía. Siempre es necesario conocer la cantidad de kilocalorías que nos proporcionan los alimentos para mantener un equilibrio entre la energía gastada y los alimentos consumidos.

Los cubiertos que utilizamos a diario para comer no se han empleado siempre juntos. El más antiguo es, sin duda, el cuchillo, usado ya por el hombre primitivo. No fue hasta finales del siglo XV cuando en Europa empezaron a utilizarse los cuchillos de mesa e hizo su aparición el tenedor, aunque sólo en las mesas de los nobles. El uso generalizado de los cubiertos no sucedió hasta varios siglos después.

Alimentos (100 g)	Proteínas (en g)	Grasas (en g)	Hidratos de carbono (en g)	Energía (en kcal)
Cereales y tubérculos				
Arroz pulido blanco	7,2	0,6	79,7	364
Pan blanco de trigo	9,3	0,7	64,6	307
Patatas (enteras)	2,8	0,2	18,2	79
Legumbres				
Garbanzos	18,2	6,2	61,1	364
Lentejas	23,7	1,3	60,7	340
Alubias	22,0	1,6	60,8	337
Frutos secos				
Nuez de nogal	13,7	67,2	13,2	664
Avellana	10,8	63,2	19,8	647
Cacahuete (tostado)	28,8	46,9	18,1	566
Almendra	18,6	54,1	19,6	547
Frutas, verduras y hortalizas				
Plátano	1,0	0,3	32,3	122
Uva	0,6	0,7	16,7	68
Ciruela	0,6	0,2	11,9	47
Naranja dulce	0,8	0,2	10,5	42
Melocotón amarillo	0,6	0,1	9,7	38
Guisante	7,6	0,4	21,0	97
Judía verde	2,0	0,2	6,6	36
Espinaca	2,8	0,7	4,9	30
Azúcares y derivados				
Azúcar refinado o granulado	0	0	99,1	384
Miel de abeja	0,2	0	78,0	306
Chocolate	4,4	35,1	57,9	528
Confituras	0,6	0,1	70,0	272
Carne, huevos y pescado				
Jamón curado semigraso	15,4	26,0	0,6	303
Cerdo semigraso	15,5	16,5	0	216
Ternera semigrasa	19,1	12,0	0	190
Pollo	18,2	10,2	0	170
Hígado de vacuno mayor	19,8	3,9	3,6	134
Huevo de gallina	11,3	9,8	2,7	148
Bacalao	81,8	2,8	–	375
Sardinas en aceite	25,3	11,7	0	214
Merluza	19,3	0,8	0	90
Leche y productos lácteos				
Leche de vaca	3,5	3,0	5,5	61
Leche condensada	8,1	8,1	55,7	321
Queso de vaca curado	25,0	31,0	2,0	387
Queso de vaca semicurado	18,0	24,0	3,0	299
Requesón	15,0	15,0	4,0	220
Yogur	4,8	3,8	4,5	71
Aceites y grasas				
Aceite de oliva	0	99,9	0	883
Mantequilla	1,0	84,0	0	743
Margarina	0,6	81,0	0,4	720

VITA-MINAS	FUNCIONES	EFECTOS DE SU DEFICIENCIA	FUENTES ALIMENTICIAS
A	Aumenta la resistencia del organismo. Mantiene el buen estado de los tejidos.	Sequedad y descamación de la piel. Ceguera nocturna, fotofobia.	Tomates, zanahorias, queso, huevos, aceite de hígado de bacalao.
B_1	Favorece la transmisión del impulso nervioso y el buen funcionamiento del aparato digestivo.	Berri, trastornos del sistema nervioso. Debilidad muscular, palpitaciones.	Guisantes, carne de cerdo, lentejas, pan integral...
B_2	Aumenta la resistencia del organismo. Interviene en el metabolismo de las proteínas e hidratos de carbono.	Lesiones en las mucosas. Conjuntivitis. Disminución de la agudeza visual.	Vegetales verdes, huevos, leche, aguacates, salvado...
B_5	Regula el metabolismo de las grasas e hidratos de carbono.	Retardo del crecimiento, ardor de pies, poca resistencia a las infecciones.	Hígado y riñón de ternera, levadura, guisantes, cacahuetes.
B_6	Interviene en el metabolismo de las grasas y los ácidos.	Dermatitis, anemias, lesiones nerviosas.	Pescado, legumbres, hígado, carnes, levadura de cerveza.
B_{12}	Es fundamental para el crecimiento de los jovenes. Es antianémica.	Anemia perniciosa, agotamiento y debilidad general, lesiones nerviosas.	Leche de vaca, queso, hígado, huevos, ostras.
C	Activa el crecimiento y la reparación de los tejidos. Favorece la inmunidad. Es antitóxica.	Escorbuto, cansancio y fatiga precoz. Alteraciones óseas, nerviosismo...	Fresas, grosellas negras, naranjas, limones, tomates, pimientos.
D	Contribuye a la fijación del calcio. Regula la osificación. Aumenta la resistencia a las infecciones.	Raquitismo. Osteomalacia o raquitismo en los adultos.	Aceite de hígado de bacalao, yema de huevo, crema de leche.
K	Interviene en el mecanismo regulador de la coagulación de la sangre.	Aparecen hemorragias por las causas más insignificantes.	Espinacas, col, coliflor, tomates, zanahorias...

¿Cómo se descubrieron las vitaminas?

Hace siglos, cuando los viajes por mar duraban varios meses, no era infrecuente que los marineros enfermaran de escorbuto, a pesar de que las bodegas estuvieran bien llenas de víveres que se conservasen con facilidad. Esta enfermedad desaparecía cuando el barco llegaba a puerto y los marineros comían cítricos. Ante esto, a finales del siglo XVIII, la marina británica comenzó a suministrar limones a sus tripulaciones y, a partir de entonces, ningún marinero contrajo la enfermedad. Era evidente que en los cítricos había una sustancia eficaz contra el escorbuto.

Esta sustancia era el ácido ascórbico o vitamina C que, como las demás vitaminas, abunda en los alimentos frescos (frutas y verduras), y nuestro cuerpo necesita en pequeñas cantidades.

Nos damos cuenta de su importancia precisamente cuando se carece de alguna de ellas, ya que nos protegen de enfermedades e infecciones. Además, regulan muchas funciones del organismo e intervienen en la conversión en energía de los componentes básicos de los alimentos. En el cuadro superior se detallan las vitaminas más usuales, aunque hoy en día se conocen más de una veintena.

Prevención y salud

Aunque la digestión gástrica suele durar entre cuatro y cinco horas, el proceso completo hasta la expulsión de los residuos puede durar hasta 20 horas, lo que significa que el tubo digestivo trabaja de manera casi permanente. Para el buen funcionamiento de tu aparato digestivo es muy importante que observes una serie de consejos:

• **Come con moderación.** Es más importante la variedad de alimentos que la cantidad. Una dieta diaria adecuada debe contemplar el consumo alimenticio de todos los nutrientes básicos, para lo cual son esenciales los cereales, los productos lácteos, la carne, el pescado, los huevos, las legumbres, las frutas y las hortalizas.

• **Mastica correctamente.** Los jugos digestivos actúan con más facilidad sobre el bolo alimenticio si los alimentos se han masticado bien. Para ello, no comas de prisa, toma la comida en pequeños bocados y mastica despacio y por ambos lados de la boca.

• **Cepíllate los dientes después de cada comida.** Si no se eliminan bien los restos de comida que quedan entre los dientes, las bacterias de la boca transforman los azúcares de los alimentos en sustancias ácidas, que acaban atacando el esmalte de los dientes y provocan la aparición de caries. El cepillado debe ser frecuente, enérgico y amplio.

• **Evita el consumo excesivo de azúcar.** Un abuso de dulces, golosinas o refrescos azucarados también contribuye a la aparición de caries, sobre todo si los dientes están faltos de flúor y calcio.

• **Evita los ejercicios físicos intensos después de comer.** La digestión requiere un gran consumo de energía, por lo que una anormalidad en este proceso (indigestión) podría ocasionar ardores de estómago, sensación de pesadez u otras molestias.

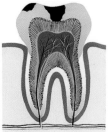

CARIES SUPERFICIAL

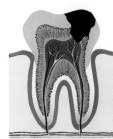

CARIES PROFUNDA

El aparato respiratorio

Nuestro cuerpo actúa como una simple vela: para que la vela arda, es necesario prender la mecha, y la combustión de la mecha sólo es posible cuando hay aire, es decir, oxígeno. El aparato respiratorio es el conjunto de estructuras que permiten la captación de oxígeno y la eliminación del anhídrido carbónico producido en la respiración interna. El órgano central son los pulmones, situados a ambos lados del corazón. A ellos llegan la sangre venosa, mediante las arterias pulmonares, y el aire atmosférico, a través de las vías respiratorias. De esta manera, las células disponen del combustible necesario, el oxígeno, para realizar sus funciones: transformar en energía las sustancias nutrientes de los alimentos que transporta la sangre, fabricar distintos tipos de tejido y renovarse constantemente.

SITUACIÓN DE LOS PULMONES, A AMBOS LADOS DEL CORAZÓN

fosas nasales

Calientan, humedecen y purifican el aire, ya que es la vía principal de entrada en el organismo.

boca

Vía secundaria de entrada del aire, pero importante porque interviene en la emisión de la voz.

tráquea

Conducto cartilaginoso, de 10-15 cm de longitud, situado entre la laringe y el origen de los bronquios.

pulmones

Órganos básicos del aparato respiratorio, ubicados en el interior de la caja torácica, que se encargan del correcto intercambio de gases de la sangre a través de los alvéolos pulmonares

faringe

Conducto que desciende de las fosas nasales y es el cruce de las vías respiratorias y digestivas.

laringe

Cavidad cartilaginosa que se encuentra situada entre la faringe y la tráquea, y es el órgano de la fonación.

bronquios

Conductos resultantes de la bifurcación de la tráquea, que se van ramificando en otros, mucho más finos, denominados bronquiolos.

ÓRGANOS DEL APARATO RESPIRATORIO

Oxígeno: alimento en el aire

Tu organismo realiza por sí mismo la función de respirar, ya que en ella no interviene tu voluntad: estés despierto o dormido, la necesidad de inspirar para oxigenar las células del cuerpo es constante. El oxígeno penetra en nuestro cuerpo a través del aparato respiratorio; es un gas que forma parte en un 21 % del aire atmosférico que respiramos, junto con nitrógeno y otros gases.

COMPOSICIÓN DEL AIRE

NITRÓGENO ....78 %	
OXÍGENO ....21 %	
ARGÓN, DIÓXIDO DE CARBONO, HIDRÓGENO Y OTROS GASES ....1 %	

La misma necesidad existe de desprenderse del dióxido de carbono que dejan las células como residuo: al espirar, el aire que sale al exterior sólo contiene un 16 % de oxígeno, y el 5 % restante lo constituye el dióxido de carbono. Además del aparato respiratorio, formado por las vías respiratorias y los pulmones, el organismo cuenta con la acción de la caja torácica y de los músculos de la respiración. En el tórax, cuando los **músculos intercostales** se contraen, las costillas «tiran» hacia arriba, ensanchando la caja torácica. Entre ésta y la cavidad abdominal se ubica el músculo más importante en los movimientos respiratorios: el **diafragma**. Forma un arco en dirección a la caja torácica y se halla situado por debajo de los pulmones. Cuando está relajado, se encuentra arqueado al máximo, presiona las costillas y reduce la capacidad del tórax; cuando se contrae, pierde en parte su forma de arco y aumenta el espacio libre de los pulmones en la caja torácica. En los movimientos espiratorios también intervienen otros músculos abdominales, como los **oblicuos** y el **recto**.

DURANTE LA ESPIRACIÓN

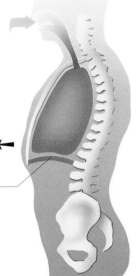

diafragma

DURANTE LA INSPIRACIÓN

El bostezo es un fenómeno del cual no se conoce su origen con exactitud. Se bosteza cuando se está aburrido o cansado, y puede ser que no se haya respirado hondo y se haya formado dióxido de carbono.

¿ Sabías que...

...muchos animales tienen otros sistemas de respiración?

Este es el caso de los peces, que respiran por branquias, unas láminas de la piel muy delgadas. Toman el oxígeno disuelto en el agua que las atraviesa y expulsan el dióxido de carbono.

Los mamíferos que viven en el mar sí tienen pulmones, a pesar de lo cual pueden estar mucho tiempo bajo el agua. El cachalote, el animal mejor adaptado a las inmersiones extremas, puede llegar a profundidades de hasta 1 000 m. Es capaz de permanecer bajo el agua durante 1 hora porque sus gigantescos pulmones pueden almacenar 1 000 l de aire. Al igual que la ballena, cuando respira, expulsa aire y vapor de agua por el orificio nasal, vapor que se condensa si hace frío y forma el característico chorro, de hasta 4 o 5 m de altura.

Otro mamífero marino, el rorcual común, utiliza los pulmones como si fueran cuerdas vocales, ya que carece de ellas. Sus gritos, que pueden oírse a 80 km de distancia, salen de los pulmones y son amplificados notablemente por el hueso de las mandíbulas.

Algunos animales pequeños y poco desarrollados carecen incluso de aparato respiratorio, como la medusa y la lombriz de tierra, cuyas células respiran directamente a través de la piel.

Toser y estornudar: mecanismos de defensa

Tanto la tos como el estornudo son dos eficaces sistemas de defensa del aparato respiratorio, cuyo objetivo principal es mantener limpias de impurezas las vías respiratorias. La **tos** comienza con una inspiración profunda, que llena de aire los pulmones y hace que el diafragma y los músculos del tórax se contraigan y presionen el aire contenido en los pulmones. La epiglotis, que permanecía cerrada, se abre de golpe y el aire sale a presión velozmente (entre 120-160 km/h), arrastrando cualquier partícula que se halle en los bronquios o en la tráquea.

La finalidad del **estornudo** es limpiar las fosas nasales de polvo o partículas que provocan irritación en las mucosas. Cuando nos viene un estornudo, lo que hacemos, en realidad, es efectuar una brusca inspiración de aire, que espiramos de golpe casi a continuación.

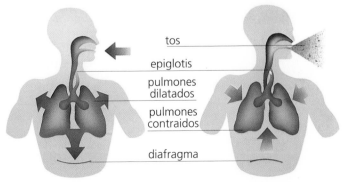

tos
epiglotis
pulmones dilatados
pulmones contraidos
diafragma

INSPIRACIÓN Y EPIGLOTIS CERRADA

EPIGLOTIS ABIERTA Y ESPIRACIÓN DEL AIRE A PRESIÓN

Los órganos del aparato respiratorio

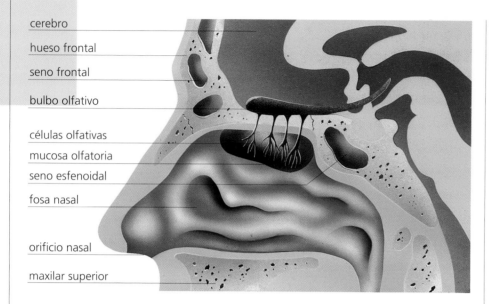

cerebro
hueso frontal
seno frontal
bulbo olfativo
células olfativas
mucosa olfatoria
seno esfenoidal
fosa nasal
orificio nasal
maxilar superior

Fosas nasales

Las fosas nasales son la principal vía de entrada del aire en las vías respiratorias. Constan de dos cavidades separadas por el **tabique nasal**, una delgada lámina de hueso y cartílago. El interior de cada cavidad lo forman huecos y protuberancias óseas denominadas **cornetes**; están recubiertos de **mucosa**, constituida por numerosos pelillos o **cilios** y por glándulas que segregan moco. La nariz se encarga de tratar el aire que respiramos: gracias a los cilios, retiene el polvillo que permanece suspendido en la atmósfera, y a través del moco, constituye una defensa contra posibles infecciones porque destruye los millones de microorganismos que contiene el aire que respiramos.

La mucosa evita la inspiración de un aire excesivamente seco y le otorga el necesario grado de humedad. Además, sus vasos sanguíneos conservan la temperatura adecuada en el interior de la nariz, y los cornetes o pliegues de la pared interna retienen y calientan el aire inspirado.

Faringe

La faringe es el conducto que desciende de las fosas nasales, pasa por la parte posterior de la cavidad bucal y desemboca en la laringe y el esófago. Por ello, forma parte tanto de las vías respiratorias como de las digestivas. La parte superior de la faringe, que comunica con las fosas nasales, se denomina **rinofaringe**. La parte central, o **bucofaringe**, constituye el fondo de la cavidad bucal y a su entrada se encuentran las **amígdalas**. Son dos pequeños órganos, ubicados a cada lado, que cuentan con numerosos glóbulos blancos de la sangre, por lo que su misión consiste en combatir las infecciones producidas por virus y bacterias que penetran a través de la boca.

Para evitar direcciones erróneas del aire y de los alimentos, entre la parte inferior, o **hipofaringe**, y la laringe existe una válvula, la **epiglotis**, que se cierra al paso del bolo alimenticio, por lo que éste ha de descender obligatoriamente por el esófago.

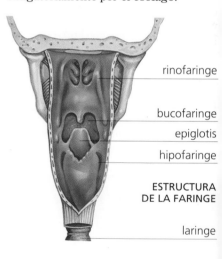

rinofaringe
bucofaringe
epiglotis
hipofaringe

ESTRUCTURA DE LA FARINGE

laringe

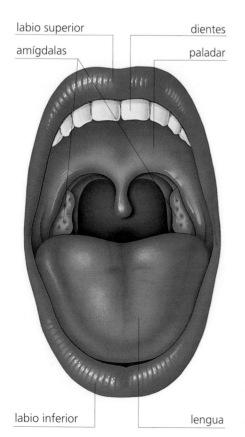

labio superior
amígdalas
dientes
paladar
labio inferior
lengua

Boca

La boca es una de las principales partes del aparato digestivo, pero también es una vía respiratoria e interviene en la emisión de la voz. Está rodeada por los labios, la parte interna de las mejillas, la base de la lengua y el paladar.

La función de la cavidad bucal en el proceso de respiración no es muy importante, ya que las fosas nasales están mucho mejor preparadas para este fin. Sin embargo, sirve de entrada y salida del aire en los casos en que existe una gran necesidad de oxigenar los pulmones, como cuando hacemos un ejercicio físico intenso, o bien cuando se obstruyen las fosas nasales por un accidente o un resfriado. La cavidad bucal interviene en la emisión de la voz, ya que los labios, la lengua y los dientes articulan los sonidos producidos por las cuerdas vocales en la laringe.

Si extendiéramos todos los alvéolos que hay en los pulmones, podríamos cubrir la superficie de una pista de tenis.

A partir de los 2 500 m de altura, el aire se enrarece y, aunque la proporción de oxígeno sea la misma (21 %), su baja presión hace que la cantidad inhalada con cada respiración sea menor. A 3 000 m inspiramos el 72 % del aire que inhalaríamos al nivel del mar. A 4 000 m, esa cifra desciende al 65 %, y a 5 000 m, al 60 %.

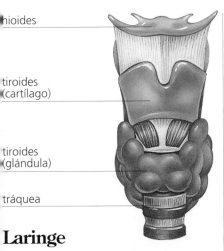

hioides

tiroides
(cartílago)

tiroides
(glándula)

tráquea

Laringe

La laringe es un órgano hueco situado entre la faringe y la tráquea. La forman varios cartílagos, todos ellos articulados, revestidos de mucosa y movidos por músculos.

En su parte superior se halla la **epiglotis**, la válvula que cierra el paso de la laringe cuando tragamos alimentos. En la zona central, denominada **glotis**, se encuentran unos músculos pequeños y elásticos, las **cuerdas vocales**. Constituyen la base de la **fonación**: cuando el aire que sale de los pulmones pasa por la laringe, sus músculos tensan las cuerdas vocales, que vibran y producen la voz.

Tráquea

La tráquea es un conducto situado entre la laringe y el origen de los bronquios. Su pared interior está revestida de epitelio, con abundantes glándulas mucosas y células ciliadas, es decir, provistas de cilios. El moco de la tráquea humedece el aire y retiene las partículas extrañas, que son expulsadas al exterior por el movimiento vibratorio de los cilios. Los cartílagos elásticos y flexibles que forman la tráquea se mueven constantemente: al inspirar, se alargan y se ensanchan, y al espirar ocurre lo contrario.

Bronquios

Los bronquios son los conductos resultantes de la bifurcación de la tráquea. Cada uno de los bronquios principales se ramifica después en otros conductos más pequeños, que se dirigen a las diferentes partes o **lóbulos** de los pulmones.

Estos bronquios que penetran por los distintos lóbulos se denominan **bronquios lobulares**, de los cuales existen tres en el pulmón derecho y dos en el izquierdo. Se van ramificando y estrechando cada vez más, dividiéndose en **bronquios segmentarios**, hasta convertirse en conductos de menos de 1 mm de diámetro: los **bronquiolos**. Los bronquiolos distribuyen el oxígeno por sus terminaciones, los **alvéolos pulmonares**, una especie de pequeñas bolsas en las cuales los glóbulos rojos de la sangre efectúan el intercambio de gases, es decir, dióxido de carbono por oxígeno.

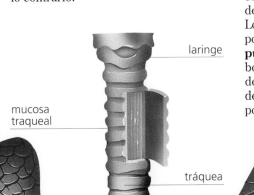

laringe

mucosa
traqueal

tráquea

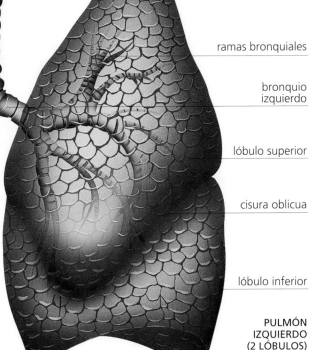

ramas bronquiales

bronquio
izquierdo

lóbulo superior

cisura oblicua

lóbulo inferior

PULMÓN
IZQUIERDO
(2 LÓBULOS)

bronquio derecho

lóbulo superior

cisura horizontal

lóbulo medio

cisura oblicua

lóbulo inferior

PULMÓN
DERECHO
(3 LÓBULOS)

✎ La laringe del mono aullador está hiperdesarrollada y su aparato vocal es altamente especializado: su garganta está tan abombada que los pelos acaban pareciendo una barba, pero sus gritos roncos pueden oírse a 2 km a la redonda.

Pulmones

Los pulmones, dos vísceras situadas en la caja tóracica, a ambos lados del corazón, son el órgano central del proceso respiratorio.

Tienen unos 26 cm de altura por 15 cm de diámetro, y una capacidad de 1 600 cm³, siendo mayor el pulmón derecho que el izquierdo. Su forma es la de un cono truncado. Se dividen en **lóbulos** por unas incisiones o **cisuras**: tres lóbulos en el derecho y dos en el izquierdo. Cada pulmón está recubierto por una membrana doble, la pleura, que evita que los pulmones se dañen con el roce de las costillas y otros huesos de la caja tóracica durante los movimientos respiratorios. La estructura básica del pulmón es el **lobulillo pulmonar**, que consta de un **bronquiolo** que se ramifica y termina en unas pequeñas dilataciones, los **alvéolos pulmonares**, agrupados en forma de espesos racimos. Cada uno de los alvéolos, unos 300 millones en total, está rodeado por una fina red de capilares sanguíneos que realizan la función esencial del pulmón: la **hematosis** u oxigenación de la sangre venosa.

El camino del aire

Transporte de oxígeno: cuestión de presión

Cuando el aire penetra en los pulmones y llega a los alvéolos pulmonares, el oxígeno atraviesa sus delgadas paredes y pasa a los capilares sanguíneos, que los rodean como una fina red.

La **hemoglobina**, una proteína de los glóbulos rojos de la sangre, recoge el oxígeno del aire inspirado y lo transporta al corazón, desde donde se distribuye, a través de las arterias, a todas las células del organismo.

Los glóbulos rojos recogen el dióxido de carbono de las células y lo transportan por las venas hasta el corazón, que lo impulsa hacia los capilares sanguíneos de los alvéolos para su expulsión al exterior.

El cambio de oxígeno por dióxido de carbono se realiza porque, como todos los gases, ambos se trasladan desde las zonas de mayor presión a las zonas donde la presión es menor. Entre los alvéolos y los capilares sanguíneos también se produce esta diferencia de presión.

Al inspirar, la cantidad de oxígeno en los alvéolos es muy superior a la que existe en los capilares, por lo que pasa hacia éstos.

Con el dióxido de carbono sucede lo mismo: existe una mayor cantidad en los capilares venosos que rodean los alvéolos, por lo que este gas pasa a los alvéolos pulmonares y se elimina a través de la espiración.

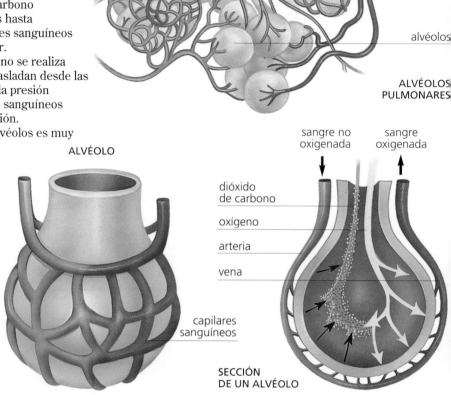

arteria pulmonar
bronquiolo
vena pulmonar
capilares sanguíneos
alvéolos

ALVÉOLOS PULMONARES

ALVÉOLO

capilares sanguíneos

sangre no oxigenada

sangre oxigenada

dióxido de carbono

oxígeno

arteria

vena

SECCIÓN DE UN ALVÉOLO

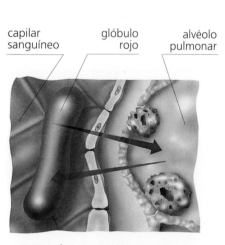

capilar sanguíneo   glóbulo rojo   alvéolo pulmonar

RESPIRACIÓN ALVEOLAR

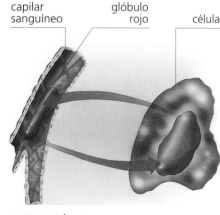

capilar sanguíneo   glóbulo rojo   célula

RESPIRACIÓN CELULAR

Células, la «verdadera» respiración

Las vías respiratorias y los pulmones, además de purificar el aire, distribuirlo e intercambiar oxígeno por dióxido de carbono, tienen una función todavía más importante: asegurar que se lleve a cabo la «verdadera» respiración, la celular.

Al igual que una llama necesita oxígeno para arder, las células también precisan este «combustible» para transformar los nutrientes de los alimentos en la energía imprescindible para que el organismo realice sus funciones.

En cada una de las células de nuestro cuerpo, concretamente en su **mitocondria**, el intercambio de oxígeno y dióxido de carbono se lleva a cabo como entre los capilares sanguíneos y los alvéolos pulmonares: la hemoglobina de los glóbulos rojos transporta oxígeno por las arterias, que pasa a la célula, mientras ésta cede a los glóbulos rojos el dióxido de carbono que ha ido acumulando.

Este residuo llegará a los alvéolos pulmonares a través de capilares y venas, completándose así el ciclo.

membrana

pliegue de la cresta mitocondrial

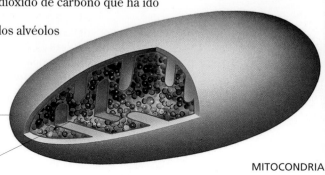

MITOCONDRIA

Sobre el cerebro, el hipo y la risa

Los movimientos respiratorios que ensanchan y comprimen la caja torácica están comandados por el **bulbo raquídeo**, una parte del encéfalo que se halla en la parte posterior del cráneo, de donde también sale la médula espinal.

La médula espinal está formada por células y fibras nerviosas que transmiten al diafragma y a los músculos intercostales las órdenes para que las fibras musculares se contraigan o se relajen. En el bulbo raquídeo existen dos centros de mando que actúan coordinadamente: uno detecta si en la sangre hay un exceso de dióxido de carbono y ordena los movimientos de espiración; el otro detecta la cantidad de oxígeno y regula la frecuencia de las inspiraciones.

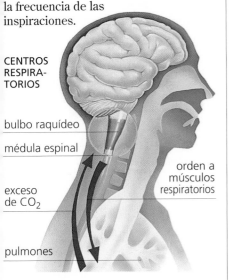

CENTROS RESPIRA-TORIOS

bulbo raquídeo

médula espinal

exceso de CO_2

orden a músculos respiratorios

pulmones

En el cerebro también está ubicado el llamado «centro del hipo». El **hipo** no es más que una contracción brusca del diafragma y de las cuerdas vocales, provocada por una inspiración excesiva de aire, o por comer o beber demasiado. Su sonido característico lo provoca el cierre de la glotis, u obertura entre las cuerdas vocales, al ser golpeadas éstas por el aire espirado.

La **risa** también está provocada por una serie de sacudidas repentinas del diafragma, que hacen subir el aire por la tráquea y pasar por la caja de resonancia.

La mayoría de las personas respiran unas 12 o 15 veces por minuto cuando están sentadas. En esta situación, al inspirar y espirar, el aire pasa por las fosas nasales a una velocidad de 8 km/h. Cuando tosemos, el aire sale disparado a 120-160 km/h.

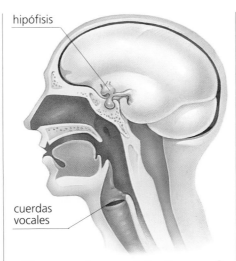

hipófisis

cuerdas vocales

¿Por qué cambia la voz?

El hecho de que tu voz sea más aguda o más grave obedece al desarrollo de las cuerdas vocales y de la cavidad de la laringe: cuanto más pequeñas, más aguda es la voz.

En la época de la pubertad, es decir, de los 11 a los 14 años de edad, tienen lugar importantes cambios. Una glándula del cerebro, la **hipófisis**, comienza a segregar **gonadotropinas**, hormona que estimula el desarrollo de los caracteres sexuales y, por tanto, la diferenciación entre los sexos.

Entre otras manifestaciones, se produce un cambio característico en la voz de los chicos, que se vuelve más grave y profunda porque sus cuerdas vocales se desarrollan dos veces más deprisa que las de las chicas.

Mucha capacidad, menos volumen

La capacidad pulmonar es la cantidad de aire que puede contener cada pulmón: unos 5 litros en una persona adulta, aunque varía en función de la edad y la estatura.

Sin embargo, ésta no es una cantidad que se inspire o espire normalmente. En efecto, cuando no realizas una actividad física concreta, por ejemplo, cuando estás sentado leyendo, la respiración es casi imperceptible y no supera el medio litro de aire. Si empiezas a caminar, la cantidad de aire se eleva a 1 l, y si te pones a jugar, de 1,5 a 2 l. Esta cantidad de aire que entra y sale se denomina **volumen de ventilación pulmonar**. Como puedes ver, el aire de los pulmones no se renueva nunca en su totalidad porque en los alvéolos existe siempre una reserva, el **aire residual**. Por tanto, la **capacidad vital** de los pulmones es la cantidad de aire que entra en ellos después de una inspiración profunda, más el volumen de ventilación y el aire de reserva.

0,5 l	Aire corriente	Inspiración normal
3,0 l	Aire complementario	Inspiración forzada
1,1 l	Aire de reserva	Espiración forzada
1,2 l	Aire residual	No se espira

Prevención y salud

Cuidar las vías respiratorias significa mantener los pulmones en buen estado de funcionamiento y, por tanto, asegurar la correcta oxigenación de las células. Para ello es preferible inspirar profundamente por la nariz y espirar el dióxido de carbono por la boca, además de realizar con frecuencia ejercicio físico en lugares poco contaminados.

En determinadas circunstancias, como accidentes, o en obstrucciones de la tráquea o la laringe por un objeto o restos de comida, puede producirse un paro respiratorio, lo que se conoce por **asfixia**. Es muy importante prestar ayuda inmediata al accidentado porque la falta de oxígeno en el cerebro durante más de cinco minutos es causa casi segura de muerte.

Entre las técnicas de respiración artificial utilizadas en casos de asfixia, la más sencilla es la respiración boca a boca, que comprende los siguientes pasos:

1. Inclinar la cabeza del accidentado hacia atrás y tapar los orificios de la nariz con los dedos.

2. Poner los labios sobre su boca abierta e insuflar aire varias veces seguidas.

3. Comprobar si el pecho se mueve y continuar insuflando aire a un ritmo de unas 12 veces por minuto.

El sistema circulatorio

E l organismo necesita una red perfectamente tramada para llevar nutrientes y energía a todas las células del cuerpo humano. Además, es imprescindible que las sustancias de desecho, inútiles y perjudiciales, sean llevadas a los órganos que se encargan de expulsarlas al exterior.

El sistema circulatorio es el que se encarga de esta tarea mediante el cumplimiento de dos funciones: distribuir los alimentos y hormonas, así como recoger los productos de desecho del metabolismo celular, y repartir el oxígeno por todo el organismo, desde los pulmones hasta los espacios intercelulares, recogiendo el anhídrido carbónico resultante.

Al hablar del sistema circulatorio, no sólo hemos de pensar en el sistema sanguíneo, sino también en el linfático, el cual recoge el plasma que ha pasado de los capilares a los tejidos y lo devuelve a la sangre, impidiendo que los tejidos se inunden gracias a su acción de drenaje.

El sistema circulatorio sanguíneo se basa en la función de bombeo del corazón y en un complejo entramado de vasos: las arterias, que conducen la sangre oxigenada desde el corazón hasta los distintos órganos; las venas, que transportan la sangre no oxigenada en sentido inverso; y los capilares, pequeños vasos a través de los cuales se filtran los nutrientes, el plasma sanguíneo y los productos de desecho.

arterias subclavias

Dos arterias con numerosas derivaciones que irrigan las extremidades superiores.

venas cavas

Divididas en superior e inferior, son homólogas de la arteria aorta.

vena porta

Vena que conduce la sangre del intestino y del bazo hacia el hígado.

venas mesentéricas

Se dividen en superior e inferior. Recogen la sangre de los intestinos y la conducen a la vena porta.

arterias ilíacas

Son la continuación de la aorta cuando ésta se bifurca. Irrigan, cada una, una extremidad inferior.

arterias carótidas y venas yugulares

Irrigan el cerebro.

arteria aorta

Arteria de mayor calibre del organismo. Se ramifica para irrigar todos los órganos y tejidos.

arterias y venas pulmonares

Se encargan de comunicar el corazón con los pulmones, es decir, de la oxigenación de la sangre.

corazón

Órgano que bombea la sangre hacia todo el cuerpo.

bazo

Víscera que se encarga de la destrucción de glóbulos rojos, actúa como reserva de sangre.

arterias y venas renales

Irrigan los riñones.

arterias mesentéricas

Se dividen en superior e inferior. Arrancan de la aorta para irrigar todo el tracto digestivo.

SISTEMA CIRCULATORIO SANGUÍNEO

Un sistema doble

La circulación sanguínea del cuerpo humano es cerrada, doble y completa: **cerrada**, porque no se comunica con el exterior, como en los insectos; **doble**, porque posee dos circuitos; y **completa**, porque la sangre venosa y la sangre arterial no se mezclan nunca.

Como ya se ha comentado, la sangre recorre dos circuitos:

• *Circuito menor* o *pulmonar*: se extiende entre el corazón y los pulmones. La sangre, cargada de dióxido de carbono, llega a los pulmones y se oxigena.

• *Circuito mayor* o *general*: distribuye la sangre oxigenada desde el corazón hasta los distintos órganos y tejidos del cuerpo, y recoge los productos de desecho del metabolismo.

CIRCUITO MENOR
O PULMONAR

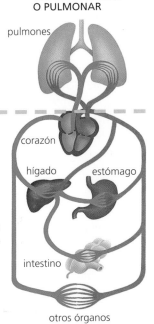

pulmones

corazón

hígado   estómago

intestino

CIRCUITO MAYOR
O GENERAL

otros órganos

¿ Sabías que...

...peces, anfibios y reptiles tienen sistemas circulatorios distintos?

Los animales han desarrollado sistemas circulatorios diferentes como reflejo de la evolución que han sufrido las diversas especies.

El sistema sanguíneo de los peces es simple y completo: su corazón sólo cuenta con un ventrículo y una aurícula. El ventrículo envía la sangre a las branquias, donde se oxigena, y desde aquí se distribuye a todo el cuerpo, retornando a la aurícula por los capilares y venas. Los anfibios adultos presentan un corazón con dos aurículas y un ventrículo.

El sistema circulatorio de los reptiles es doble e incompleto: posee dos aurículas separadas, pero los ventrículos no están totalmente incomunicados. De esta manera, la sangre venosa de las circulaciones mayor y pulmonar penetra separadamente en las aurículas, pero se mezcla dentro de la cavidad ventricular.

También la composición del medio interno varía según la especie animal de que se trate. Por ejemplo, en los equinodermos, como la estrella de mar, el medio interno lo constituye la hidrolinfa, una mezcla de agua de mar y una serie de células fagocíticas.

En gusanos, moluscos y artrópodos, el medio interno es la hemolinfa, con componentes celulares más complejos y pigmentos respiratorios capaces de transportar oxígeno.

gran vena linfática

Conducto linfático que recoge una cuarta parte de la linfa del organismo, la correspondiente a la parte derecha.

canal torácico

Colector principal de desagüe del sistema linfático, ya que recibe la linfa de tres cuartas partes del organismo.

cisterna de Pecquet

Dilatación de los vasos linfáticos abdominales que recoge el quilo intestinal y del cual parte el canal torácico.

ganglios linfáticos

Nudosidades que se forman en la confluencia de diversos vasos linfáticos y cumplen una misión de defensa inmunitaria.

canales linfáticos

Vasos o colectores que forman una red capilar por la cual circula la linfa.

SISTEMA CIRCULATORIO
LINFÁTICO

¿Qué es «tomarse la presión»?

Posiblemente, en diversas ocasiones, tú o alguien que conoces habrá tenido que «tomarse la presión».

La presión o **tensión sanguínea** es la presión que la sangre ejerce sobre las paredes de los vasos sanguíneos, y que depende de la fuerza con que el corazón empuja la sangre y del grado de elasticidad de los vasos.

Se toman dos lecturas: una tensión **máxima**, que corresponde al momento de contracción del corazón, y una tensión **mínima**, cuando el corazón se encuentra entre una contracción y la siguiente.

Se dice que una persona es **hipertensa** cuando su presión máxima supera los 160 mm de mercurio y la mínima sobrepasa los 95 mm. Es alguien que, en un futuro, se expone a un mayor índice de riesgo de enfermedades coronarias.

INSTRUMENTAL PARA
MEDIR LA PRESIÓN

Los órganos del sistema circulatorio sanguíneo

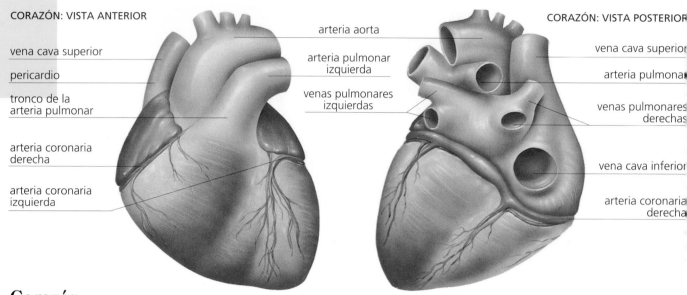

CORAZÓN: VISTA ANTERIOR

- vena cava superior
- pericardio
- tronco de la arteria pulmonar
- arteria coronaria derecha
- arteria coronaria izquierda

- arteria aorta
- arteria pulmonar izquierda
- venas pulmonares izquierdas

CORAZÓN: VISTA POSTERIOR

- vena cava superior
- arteria pulmonar
- venas pulmonares derechas
- vena cava inferior
- arteria coronaria derecha

Corazón

El corazón es un órgano ubicado en la caja torácica, entre los dos pulmones y apoyado sobre el diafragma. Tiene un volumen similar al de un puño y su peso suele variar entre 300-500 g. Lo forma un tipo de músculo estriado, el **miocardio**, recubierto externamente por una membrana serosa de doble pared: la capa adherida al músculo constituye el **epicardio**, y la externa, el **pericardio**, que fija el corazón a las estructuras vecinas pero le permite la contracción.
Esta contracción, regulada por el sistema nervioso autónomo, no la podemos controlar de manera voluntaria porque la constante función de bombeo es primordial para la circulación de la sangre.
Los músculos del corazón están alimentados por los **vasos cardíacos** o **coronarios**, un conjunto de arterias y venas dispuestas en forma de anillo. Las arterias coronarias provienen de la aorta, y las venas desembocan en el seno coronario.
Por motivos obvios, el corazón es un órgano hueco, dividido en cuatro cavidades separadas entre sí, dos a dos, mediante **válvulas fibrosas** que permiten el paso de la sangre en un solo sentido. De estas cavidades salen o llegan una serie de vasos sanguíneos que van o proceden de la circulación del organismo.
Estas cuatro cavidades cardíacas, que las recubre una capa de tejido elástico, el **endocardio**, se distribuyen en dos **aurículas** y dos **ventrículos**.
La aurícula izquierda se comunica con el ventrículo izquierdo a través de la **válvula mitral** o **bicúspide**, y la aurícula derecha se comunica con el ventrículo derecho por medio de la **válvula tricúspide**.

A la aurícula derecha llegan las dos venas cavas, mientras que a la izquierda llegan las cuatro venas pulmonares. Del ventrículo derecho parte la arteria pulmonar, mientras que del izquierdo sale la arteria aorta. La llegada de la sangre al corazón se efectúa continuamente y sin impedimento alguno, pero la salida de la sangre de los ventrículos a las arterias está regulada por las **válvulas sigmoideas** o **semilunares**, que sólo se abren cuando la sangre ventricular alcanza cierta presión.

La musaraña, una especie de ratón, posee un corazón que late unas 1 000 veces por minuto, y vive alrededor de un año y medio. El del conejo late unas 200 veces por minuto; vive unos 6 años. El del elefante da unos 25 latidos por minuto; vive unos 60 años. Por tanto, el corazón de estos mamíferos, a lo largo de su vida, habrá dado entre 500 y 1 000 millones de latidos. Sin embargo, el corazón del ser humano da unos 2 500 millones de latidos durante su vida.

SECCIÓN DEL CORAZÓN

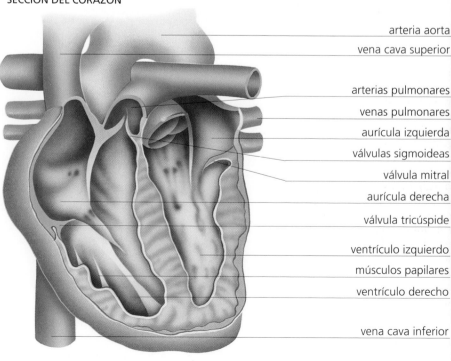

- arteria aorta
- vena cava superior
- arterias pulmonares
- venas pulmonares
- aurícula izquierda
- válvulas sigmoideas
- válvula mitral
- aurícula derecha
- válvula tricúspide
- ventrículo izquierdo
- músculos papilares
- ventrículo derecho
- vena cava inferior

Corazón: bomba y cruce de carreteras

El corazón puedes considerarlo como un auténtico cruce de carreteras, un distribuidor de la «circulación» sanguínea gracias a las arterias y venas que confluyen en él, y gracias a su incesante acción de bombeo. El corazón actúa a través de dos tipos de movimiento: **sístole**, o movimiento de contracción, y **diástole**, o movimiento de relajación. El **ciclo cardíaco**, lo que generalmente llamamos **latido**, consta de tres fases:

- 1. *Sístole auricular* y *diástole ventricular*: al contraerse las aurículas, las válvulas mitral y tricúspide se abren y la sangre pasa a los ventrículos.

- 2. *Sístole ventricular*: los ventrículos se contraen y provocan un aumento de la presión sanguínea. Las válvulas sigmoideas de las arterias aorta y pulmonar se abren y permiten el vaciado de los ventrículos a través de éstas.

- 3. *Diástole general*: después de vaciarse, los ventrículos se distienden y el corazón permanece relajado hasta que la sangre, que va llenando las aurículas, presiona las válvulas auriculoventrales.

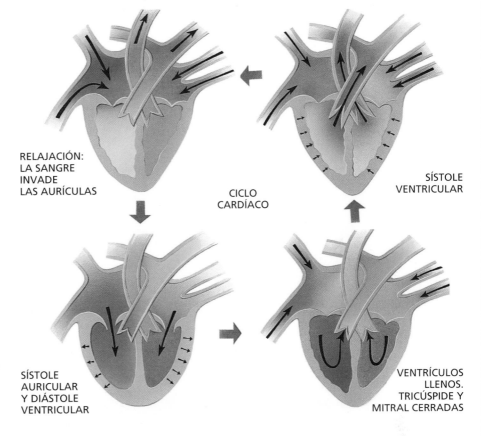

RELAJACIÓN: LA SANGRE INVADE LAS AURÍCULAS

CICLO CARDÍACO

SÍSTOLE VENTRICULAR

SÍSTOLE AURICULAR Y DIÁSTOLE VENTRICULAR

VENTRÍCULOS LLENOS. TRICÚSPIDE Y MITRAL CERRADAS

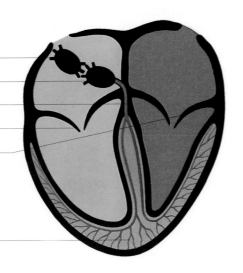

nódulo sinoauricular

nódulo aurículoventricular

fascículo de His

válvula tricúspide

válvula mitral

fibras de Purkinje

La excitación del corazón se debe al **tejido nodal**, células musculares especializadas en la estimulación del músculo cardíaco. A grandes rasgos, este tejido consta de un **nódulo sinoauricular** y de un **nódulo auriculoventricular**, situados ambos en la aurícula derecha. En el primero es donde se originan los impulsos eléctricos responsables de la contracción cardíaca (70-80 latidos por minuto), y posteriormente se estimula el segundo nódulo, que por sí mismo también puede hacer latir el corazón (40-60 latidos por minuto). A través de las dos ramas del **fascículo de His** y de las **fibras de Purkinje** se propaga la excitación a los dos ventrículos.

Si el corazón pudiera alzarnos de la misma manera que bombea la sangre, tendría suficiente energía para levantarnos unos 300 m del suelo cada día.

Bazo

El bazo es un órgano abdominal, de forma ovoide y color rojizo, que pesa unos 200 g. Está profusamente irrigado por vasos sanguíneos y puede modificar su volumen mediante la acumulación de sangre en su interior o **pulpa esplénica**. Aunque no es un órgano vital, en casos de emergencia es capaz de liberar la sangre que ha retenido, con lo que aumenta el riego sanguíneo y la oxigenación de los tejidos.
Al bazo también se le llama *cementerio de los glóbulos rojos* porque se encarga de eliminar cada segundo unos dos millones de glóbulos rojos envejecidos. El bazo también interviene en la **linfopoyesis** o formación del tejido linfático.

SECCIÓN DEL BAZO

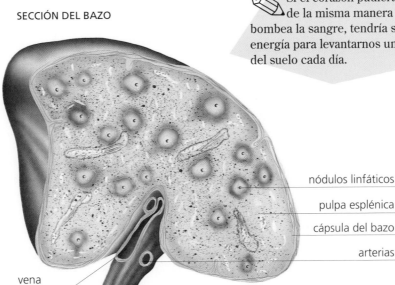

nódulos linfáticos

pulpa esplénica

cápsula del bazo

arterias

vena

Arterias

Las arterias son los conductos por los que circula la sangre que sale del corazón para dirigirse hacia los distintos órganos.

Las arterias están constituidas por tres capas:

- *Túnica interna* o *íntima*: formada de tejido endotelial, permite que la sangre se deslice fácilmente.

- *Túnica media*: constituida por una fibra muscular lisa, potente y elástica, permite variar el calibre de la arteria.

- *Túnica adventicia*: capa externa de tejido conjuntivo.

Los conductos del aparato circulatorio no son rígidos, sino que su calibre, regulado por el sistema nervioso vegetativo, aumenta o disminuye según las necesidades fisiológicas de cada órgano o de la temperatura ambiente, gracias a la musculatura lisa de la cual están formados.
Del corazón salen dos arterias: la **arteria pulmonar**, que lleva sangre venosa hacia los pulmones para su oxigenación, y la **arteria aorta**, que se ramifica por todo el organismo.
Las principales arterias que salen de la aorta son: las **carótidas**, que van hacia la cabeza; las **subclavias**, hacia las extremidades superiores; la **hepática**, hacia el hígado; las **mesentéricas**, hacia el tracto digestivo; las **renales**, hacia los riñones; y las **ilíacas**, hacia las extremidades inferiores.
Las **arterias coronarias**, que nacen en la arteria aorta ascendente, se disponen en forma de anillo alrededor de los surcos del corazón, irrigando el músculo cardíaco durante la diástole.

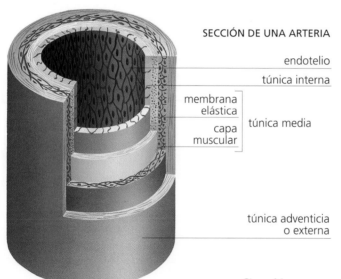

SECCIÓN DE UNA ARTERIA

endotelio
túnica interna
membrana elástica
capa muscular
túnica media
túnica adventicia o externa

SECCIÓN DE UNA VENA

sentido ascendente de la sangre

válvula venosa

túnica interna

túnica media

túnica adventicia o externa

Venas

En los órganos y tejidos, las arterias se transforman gradualmente en vasos de menor calibre, hasta convertirse en **capilares**. Éstos vuelven a transformarse en conductos paulatinamente de mayor calibre, las venas, que transportan la sangre de los distintos órganos hacia las aurículas del corazón.
Su estructura es similar a la de las arterias, con tres capas de tejido, pero la túnica media es más delgada, por lo que son más blandas y frágiles, y menos elásticas.
Las grandes venas presentan, en su interior, unas pequeñas válvulas que regulan la dirección de la sangre e impiden su retroceso.
Las únicas venas que llevan sangre arterial al corazón son las **pulmonares**, que provienen de los pulmones y, por lo tanto, transportan sangre oxigenada. El resto de las venas corren paralelas a las arterias llevando sangre venosa. Destacan la **vena cava superior** y la **vena cava inferior**, homólogas de la aorta.

SECCIÓN DE UN CAPILAR

capa epitelial única

Capilares sanguíneos

Los capilares son vasos de un diámetro muy fino, como cabellos, que forman tupidas redes entre las arterias y las venas. Sus paredes son muy delgadas y están formadas por una única capa de células epiteliales.
En los capilares es donde se realiza el intercambio de oxígeno y sustancias entre la sangre y las células: las arterias se van ramificando y van disminuyendo su calibre progresivamente, hasta convertirse en capilares arteriales, donde los glóbulos rojos circulan uno detrás de otro para facilitar el intercambio del oxígeno que llevan por el anhídrido carbónico procedente de los tejidos. En este punto, los capilares arteriales se transforman en venosos y, posteriormente, en venas de calibre superior, hasta llegar a las venas cavas.

El pulso, que se origina al salir la sangre del ventrículo izquierdo a la arteria aorta, provocando una dilatación en forma de onda, se transmite por las arterias a una velocidad de 11 m/s, o sea, 40 km/h.

Si se unieran todos los vasos sanguíneos del cuerpo, uno a continuación de otro, cubrirían una distancia de 96 000 km, es decir, darían 2,5 veces la vuelta al mundo.

El corazón humano sólo emplea un minuto para que cada célula sanguínea recorra todo el cuerpo. En un día, el corazón bombea suficiente líquido como para llenar un depósito de 10 000 l.

El sistema circulatorio linfático

Canales linfáticos

El aparato circulatorio linfático está constituido por una serie de conductos que transportan la linfa, formada por partículas de gran tamaño y por células del sistema inmunitario y defensivo del organismo. Estos conductos o canales son:

• *Capilares linfáticos*: vasos muy finos de tejido endotelial, con uno de sus extremos cerrado, que se reparten por todo el cuerpo. La red capilar linfática se entrelaza con la capilar sanguínea, aunque sus vasos son de mayor calibre.

• *Vasos linfáticos*: su estructura es similar a la de las venas, pero con las paredes más delgadas. Están constituidos por una especie de nódulos, con unas **válvulas semilunares** en su interior, las cuales sólo se abren cuando reciben un empuje del nódulo anterior y, por tanto, impiden el retroceso de la linfa. Los vasos quilíferos, que proceden de las vellosidades intestinales, desembocan en un depósito denominado **cisterna de Pecquet.**

• *Colectores terminales*: vasos linfáticos de mayor diámetro, que devuelven la linfa a la circulación sanguínea. El **canal torácico** es el colector principal porque recibe la linfa de tres cuartas partes del organismo. La **gran vena linfática** es un conducto corto que recoge la otra cuarta parte de la linfa, correspondiente a la mitad derecha de la región situada por encima del diafragma.

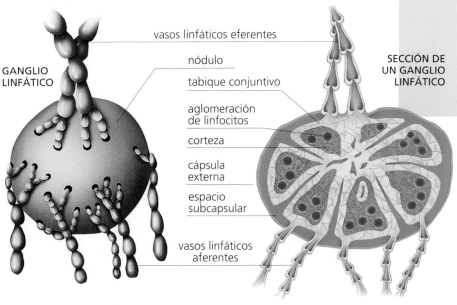

GANGLIO LINFÁTICO

vasos linfáticos eferentes

nódulo

tabique conjuntivo

aglomeración de linfocitos

corteza

cápsula externa

espacio subcapsular

vasos linfáticos aferentes

SECCIÓN DE UN GANGLIO LINFÁTICO

Ganglios linfáticos

Los ganglios son unas nudosidades intercaladas en la confluencia de diversos vasos linfáticos, y que suelen agruparse en unas localizaciones fijas (axila, ingle, cuello, pelvis). Su misión es básicamente defensiva, ya que sintetizan los linfocitos y los macrófagos, elementos encargados de la defensa inmunitaria y de erradicar posibles infecciones del organismo. Cada ganglio contiene una **cápsula fibrosa externa** y **tejido linfoide**, dispuesto en forma de nódulos. Esto crea unos interespacios semejantes a tabiques, a través de los cuales se ve obligada a pasar la linfa. Este mecanismo filtrante constituye una trampa eficaz para las bacterias y otros agentes patógenos.

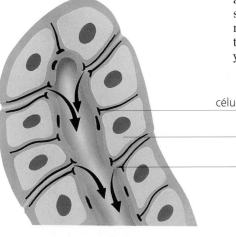

célula del endotelio

célula tisular

poro

SECCIÓN ESQUEMÁTICA DE UN CAPILAR LINFÁTICO

válvula del sistema linfático (semilunar)

VASO LINFÁTICO

Prevención y salud

La causa primera de enfermedades coronarias, ataques cardíacos y enfermedades de los vasos sanguíneos es la **arteriosclerosis**, un engrosamiento y endurecimiento de las paredes internas de las arterias a causa de depositarse en ellas placas de colesterol producidas en el metabolismo de las grasas.

Con esto ya puedes tomar conciencia de que es fundamental seguir una dieta alimenticia equilibrada, suprimiendo alimentos con exceso de grasas saturadas o con un elevado número de calorías. De esta manera se evita la formación de ateromas o depósitos de grasa en el cuerpo. Además, es básico no abusar del alcohol, del tabaco y de los azúcares.

También existen otros factores que pueden interferir en un ritmo cardíaco normal, como la hipertensión o los estados de estrés, muchas veces ligados a hábitos de vida poco saludables. En estos casos, es importante considerar una serie de consejos para aliviar las tensiones de la vida cotidiana: seguir métodos de relajación, como el yoga o la meditación; dormir una cantidad suficiente de horas, y organizar el trabajo diario para evitar la fatiga y el agotamiento.

La linfa, un viaje lento pero seguro

A diferencia del sistema sanguíneo, el sistema circulatorio linfático está menos centralizado y carece de órgano impulsor. Su misión fundamental consiste en recoger el plasma que haya pasado de los capilares a los tejidos y devolverlo a la sangre a través de las venas subclavias. Gracias a su estrecha relación con los capilares sanguíneos, los capilares linfáticos ejercen una acción de drenaje del plasma que evita que los tejidos se inunden.

Si carece de órgano impulsor, ¿qué fuerza permite la circulación de la linfa? La linfa se mueve debido a los efectos masajeantes de los músculos y a la acción absorbente de la respiración, que comprimen los vasos y empujan la linfa en el único sentido posible. Circula de forma muy lenta, pero gracias a ello nutre directamente aquellos tejidos que carecen de riego sanguíneo, como la córnea y los cartílagos.

La linfa es recogida por dos conductos principales, el **canal torácico** y la **gran vena linfática**, que desembocan respectivamente en las venas subclavias izquierda y derecha.

En las vellosidades intestinales, los vasos quilíferos absorben grasas del quilo intestinal, un líquido que resulta de la transformación de los alimentos en la digestión, y las conducen a la **cisterna de Pecquet**, de la cual parte el canal torácico.

ESQUEMA DE LA RELACIÓN
ENTRE CAPILARES
SAGUÍNEOS Y LINFÁTICOS

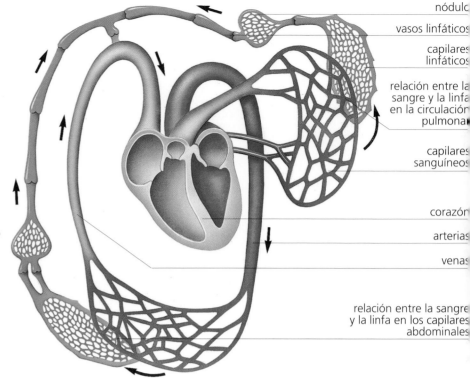

nódulo
vasos linfáticos
capilares linfáticos
relación entre la sangre y la linfa en la circulación pulmonar
capilares sanguíneos
corazón
arterias
venas
relación entre la sangre y la linfa en los capilares abdominales

ESQUEMA GENERAL DE LA RELACIÓN
ENTRE LAS CIRCULACIONES
SANGUÍNEA Y LINFÁTICA

Cada hora fluyen unos 100 ml de linfa a través del canal torácico de un individuo, y otros 20 ml lo hacen por otras vías. Por tanto, en condiciones normales, se forman en 24 horas unos 2 400 ml de linfa, es decir, un volumen casi igual al del plasma sanguíneo total.

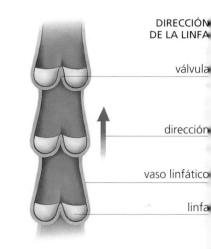

DIRECCIÓN
DE LA LINFA

válvula

dirección

vaso linfático

linfa

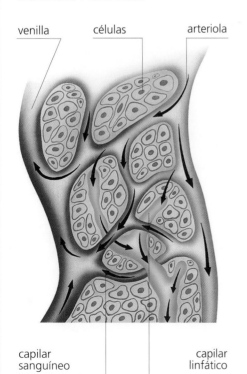

venilla
células
arteriola

capilar sanguíneo
capilar linfático

Formación y composición de la linfa

La linfa, que representa una cuarta parte del peso de nuestro cuerpo, procede del plasma y de los glóbulos blancos que rezuman de los capilares sanguíneos. Una parte de esta sustancia blanquecina, el **plasma intersticial** o **linfa tisular**, permanece en contacto directo con los tejidos, y otra, la **linfa vascular**, penetra en los vasos linfáticos. Tanto la linfa tisular como la vascular tienen prácticamente la misma composición que el plasma sanguíneo, pero poseen menos oxígeno, menos proteínas y más linfocitos, y no tienen glóbulos rojos. La linfa se compone de plasma sanguíneo en un 97 % y de leucocitos en un 3 %. Un 1,8 % del líquido intersticial está formado por proteínas. El sistema linfático, a través de los vasos quilíferos, se encarga de absorber ácidos grasos y colesterol, por lo que después de una comida rica en grasas, la linfa puede contener hasta un 1-2 % de lípidos.

PASO DE LINFOCITOS
DESDE LA SANGRE A LA LINFA

linfa circulante
poro

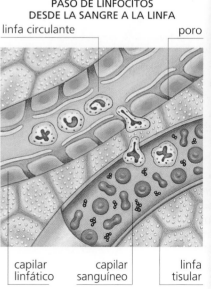

capilar linfático
capilar sanguíneo
linfa tisular

La sangre

Un líquido vital: la sangre

Las células de nuestro organismo están bañadas por una serie de líquidos corporales o humores que constituyen lo que se conoce como **medio interno**. Estos líquidos proceden del plasma sanguíneo y se forman por la filtración de éste a través de los vasos capilares del sistema circulatorio.

Como los humores ocupan una posición intermedia entre el medio externo y las células, actúan como un elemento amortiguador de las bruscas variaciones del exterior y aseguran la supervivencia de las células, además de constituir un vehículo de transporte de nutrientes y productos de desecho.

La sangre es el medio interno propio del ser humano y de los animales vertebrados. Se compone de un 50 % de agua y lleva numerosas sustancias y células:

• *Plasma sanguíneo*: es el componente líquido de la sangre, que contiene las células sanguíneas y en donde se hallan disueltos oxígeno, gas carbónico, sales minerales, glucosa y proteínas.

• *Eritrocitos* o *glóbulos rojos*: contienen hemoglobina, un pigmento respiratorio de color rojo.

• *Leucocitos* o *glóbulos blancos*: tienen funciones de defensa.

• *Trombocitos* o *plaquetas*: indispensables en la coagulación de la sangre.

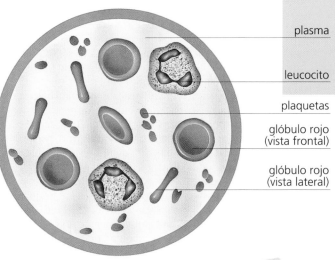

plasma

leucocito

plaquetas

glóbulo rojo (vista frontal)

glóbulo rojo (vista lateral)

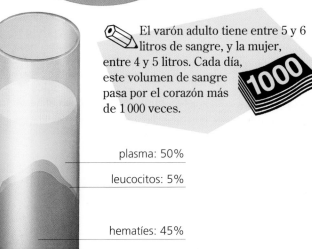

El varón adulto tiene entre 5 y 6 litros de sangre, y la mujer, entre 4 y 5 litros. Cada día, este volumen de sangre pasa por el corazón más de 1 000 veces.

1000

plasma: 50%

leucocitos: 5%

hematíes: 45%

Principales funciones de la sangre

La sangre, que fluye por el interior de nuestro cuerpo impulsada por el corazón, llega a todas las zonas del organismo y desempeña diversas e importantes funciones:

• *Función alimentaria*: la sangre transporta el oxígeno (O_2), lo cede a las células de los tejidos y recoge el dióxido de carbono (CO_2) y los demás productos de desecho para su expulsión al exterior.

• *Función transportadora*: la sangre conduce las hormonas producidas por las glándulas endocrinas hasta los órganos correspondientes, transmitiendo así los «mensajes moleculares» de unas zonas a otras.

• *Función antihemorrágica*: cuando se produce una hemorragia vascular, la sangre hace llegar numerosos glóbulos blancos, hace salir plasma de los vasos o acumula plaquetas en los lugares donde hay pérdida de sangre.

• *Función termorreguladora*: la sangre es como un sistema de calefacción que distribuye el calor por todo el organismo.

• *Función amortiguadora del pH*: la sangre impide eventuales modificaciones de la acidez del medio interno (entre 7,35 y 7,45) mediante sustancias tales como proteínas y sales minerales.

• *Función defensiva*: la sangre transporta leucocitos y anticuerpos que defienden al organismo de microbios patógenos.

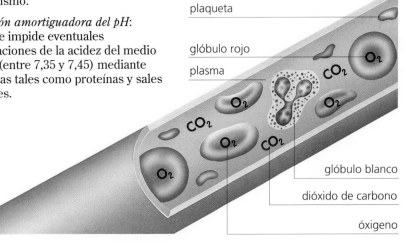

plaqueta

glóbulo rojo

plasma

glóbulo blanco

dióxido de carbono

óxigeno

Coagulación y hemofilia

Si pones en un tubo de ensayo un poco de sangre, después de 10 o 15 minutos se espesa hasta formar una masa pastosa y homogénea, el **coágulo**. Posteriormente, el coágulo se contrae y se separa de un líquido amarillento y transparente, el **suero sanguíneo**.

El suero se diferencia del plasma en que no contiene **fibrinógeno**. Ésta es una proteína del plasma que, durante el proceso de coagulación, se transforma en **fibrina** gracias a la acción conjunta de la protrombina, una sustancia fabricada en el hígado, y de la **tromboplastina**, presente en las plaquetas. El coágulo es, por tanto, una red de fibrina en la cual quedan aprisionados los glóbulos de la sangre y que actúa a modo de tapón en las heridas.

La **hemofilia** es una enfermedad genética que consiste en la incapacidad de la sangre para coagularse. Por tanto, en los hemofílicos, incluso pequeñas heridas pueden originar abundantes y hasta mortales pérdidas de sangre.

Esta anomalía hereditaria sólo se manifiesta en los hombres, ya que las mujeres únicamente son portadoras del gen, pero no están expuestas a sus consecuencias.

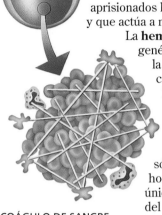

COÁGULO DE SANGRE

¿ Sabías que...

...existen animales de «sangre caliente» y de «sangre fría»?

L a mayoría de los animales con pelo son de **«sangre caliente»**, lo que significa que el pelo, como la piel en el ser humano, les ayuda a conservar el calor del cuerpo. Los reptiles, como los lagartos y los cocodrilos, son animales de **«sangre fría»**, es decir, que necesitan la luz del sol para regular la temperatura de su cuerpo. Por ello, pasan mucho tiempo al sol y su piel es dura y resistente para conservar el calor.

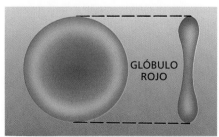

En el ser humano, el color más o menos sonrosado de la piel depende de la velocidad de la sangre al fluir por los capilares superficiales. Cuando la sangre fluye lentamente, la hemoglobina cede mayor cantidad de oxígeno y, como la hemoglobina sin oxígeno es azulada la piel toma ese color. Sin embargo, cuando el flujo es rápido, la sangre no tiene tiempo de ceder mucho oxígeno y se mantiene más roja, otorgando a la piel un color rosado.

También la temperatura de la piel depende de la velocidad del flujo sanguíneo. Si la sangre circula lentamente, la pérdida de calor hacia el medio externo se realiza con mayor intensidad y la piel está fría; cuando el flujo es rápido, la piel está caliente.

El plasma, componente líquido

El plasma sanguíneo es el componente líquido de la sangre, es decir, una solución que contiene 90-92 % de agua y transporta sus elementos sólidos (glóbulos y plaquetas). Además, presenta una gran variedad de sustancias en disolución, que se pueden agrupar en tres categorías:

• *Proteínas*: son albúminas, globulinas y **fibrinógeno**. El fibrinógeno es el responsable de la formación de coágulos, y la parte de plasma que no lo contiene se denomina *suero sanguíneo*.

• *Sales inorgánicas*: se encuentran disueltas en forma de aniones (iones cloro, bicarbonato, fosfato y sulfato) y cationes (sodio, potasio, calcio y magnesio). Actúan como una reserva alcalina que mantiene constante el pH y regula el contenido de agua.

• *Sustancias de transporte*: son moléculas que proceden de la digestión (glucosa, aminoácidos) o de la respiración (nitrógeno, oxígeno), residuos del metabolismo (dióxido de carbono, urea, ácido úrico), o bien sustancias absorbidas por la piel, las mucosas, los pulmones, etc.

Glóbulos rojos: células «no vivas», pero imprescindibles

Los glóbulos rojos, también denominados **eritrocitos** o **hematíes**, son células sanguíneas en forma de disco bicóncavo: un diámetro de 6-9 micras y un espesor de 1 micra, que aumenta progresivamente hacia los bordes (2,2 micras). El ser humano cuenta con 4,5 o 5 millones de eritrocitos por mm^3, que constituyen el 45 % del volumen de la sangre.

GLÓBULO ROJO

VISTA FRONTAL   VISTA LATERAL

Los eritrocitos se producen en la médula ósea a partir de una célula madre y mediante un proceso de **eritropoyesis**. Esta producción es continua porque, cada segundo, los macrófagos del bazo destruyen unos dos millones de hematíes envejecidos que hay que reemplazar.

HEMOGLOBINA

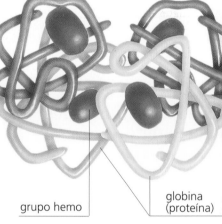

grupo hemo

globina (proteína)

Se puede considerar que los glóbulos rojos son células «no vivas», ya que carecen de núcleo y de mitocondrias, lo que no les impide realizar su función: el transporte de oxígeno. En su interior, los glóbulos rojos están formados básicamente por **hemoglobina**, una proteína constituida por cuatro cadenas de aminoácidos. Cada cadena se asocia a un grupo molecular, el **grupo hemo**, cada uno de los cuales cuenta con un átomo de hierro, que fija una molécula de oxígeno y la transporta desde los pulmones hasta los tejidos.

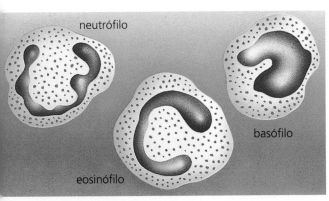

neutrófilo

basófilo

eosinófilo

GLÓBULOS BLANCOS GRANULOCITOS

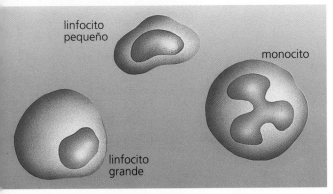

linfocito
pequeño

monocito

linfocito
grande

GLÓBULOS BLANCOS AGRANULOCITOS

Glóbulos blancos: los guerreros de la sangre

A diferencia de los hematíes, los glóbulos blancos o **leucocitos** presentan una estructura nuclear completa. Su núcleo puede ser esférico, en forma de riñón o polilobulado. Miden entre 6 y 20 micras y su número oscila entre 5 000 y 10 000 por mm³ de sangre. Existen distintos órganos productores de glóbulos blancos, repartidos por el cuerpo: la médula ósea, el bazo, el timo, los ganglios de las axilas, las amígdalas y las placas de Peyer, en la mucosa intestinal. Su función es esencialmente defensiva frente a las infecciones, ya sea mediante la absorción y destrucción de bacterias (**fagocitosis**), o bien a través de procesos inmunológicos.
Dentro de los leucocitos se distinguen dos grandes grupos, los **granulocitos** y los **agranulocitos**, según presenten o no granulaciones en su citoplasma. Los primeros presentan un núcleo con formas muy diversas y actúan por fagocitosis. Los más numerosos y activos son los **neutrófilos** (70 % del total), además de los **basófilos** (1 %) y de los **eosinófilos** (4 %). Los leucocitos sin granulaciones son los **monocitos**, de mayor tamaño y gran actividad fagocítica, y los **linfocitos**, que se dividen en pequeños (el 90 %) y grandes (10 % restante).

Trombocitos: células falsas

Las plaquetas o trombocitos no son células verdaderas, sino trozos de citoplasma que miden de 2 a 5 micras y proceden de la fragmentación de unas grandes células que se encuentran en la médula ósea.
Las plaquetas participan en el complejo mecanismo de coagulación de la sangre, ya que poseen diferentes proteínas que favorecen su aglutinación. Cuando se rompe un vaso sanguíneo, los trombocitos se adhieren a la pared del vaso y cierran parcialmente la abertura liberando el llamado **factor plaquetario III**, que inicia el proceso de coagulación de la sangre mediante la transformación del fibrinógeno en fibrina. También liberan **serotonina**, una sustancia que produce un estrechamiento de los vasos sanguíneos para hacer disminuir el flujo de sangre.

hematíes

leucocito

fibrinógeno

plaqueta

VASO SANGUÍNEO

las plaquetas empiezan a actuar

SE PRODUCE LA HERIDA

fibrina

fibrinógeno

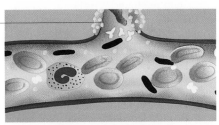

EL FIBRINÓGENO SE CONVIERTE EN FIBRINA

red de fibrina

factores de coagulación

SE FORMA EL COÁGULO

amígdalas

timo

ganglios de las axilas

bazo

placas de Peyer

médula ósea

ÓRGANOS PRODUCTORES DE GLÓBULOS BLANCOS

Cada segundo se destruyen unos 10 millones de glóbulos rojos, cada uno de los cuales habrá dado unas 172 000 vueltas completas al sistema circulatorio.

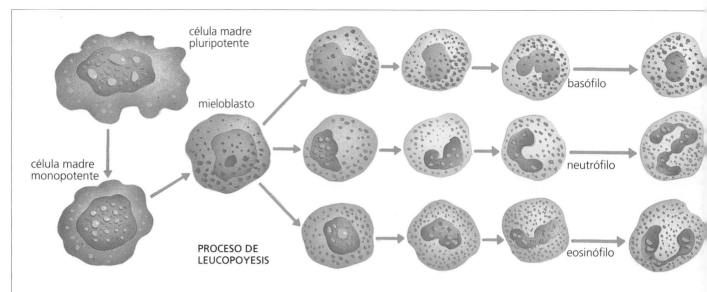

célula madre
pluripotente

mieloblasto

célula madre
monopotente

basófilo

neutrófilo

PROCESO DE
LEUCOPOYESIS

eosinófilo

La sangre, un origen poco conocido

La misión de proporcionar células a la sangre corresponde básicamente a la médula roja de los huesos (glóbulos de origen mieloide). Por tanto, en la fase de crecimiento, la práctica totalidad de la médula de los huesos será roja, mientras que en un adulto el porcentaje se reduce a la mitad y sólo unos determinados huesos son capaces de producir sangre. También existen los glóbulos de origen linfoide (linfocitos y macrófagos), que se producen en los ganglios linfáticos. Pero, ¿cuál es el origen de la sangre? A pesar de que ésta es una cuestión todavía bastante oscura, actualmente se admite que todas las células sanguíneas proceden de una única célula primitiva, la **célula madre pluripotente**, que origina los distintos tipos de células y puede perpetuarse a sí misma. A partir de ella surgen las **células madre monopotentes**, obligadas a diferenciarse en eritrocitos, leucocitos o plaquetas.

Esta actividad se produce alrededor de la tercera semana de vida del embrión humano. Es hacia el cuarto o quinto mes cuando empiezan a activarse la médula ósea y los órganos linfáticos.

CÉLULA MADRE PLURIPOTENTE		
CÉLULA MADRE MONOPOTENTE	CÉLULA MADRE MONOPOTENTE	CÉLULA MADRE MONOPOTENTE
ERITROCITOS	LEUCOCITOS	PLAQUETAS

El proceso de formación de los glóbulos rojos recibe el nombre de **eritropoyesis**. Se caracteriza porque, en una de sus transformaciones, la célula monopotente pierde el núcleo. El tiempo de vida de los eritrocitos es de unos 120 días, pasados los cuales son destruidos por el sistema reticular fagocítico del bazo y del hígado.

El proceso de formación de los glóbulos blancos, llamado **leucopoyesis**, presenta diversas variantes.

Por un lado existe el proceso que origina los granulocitos: la célula madre monopotente sufre una primera transformación y se convierte, primero, en un **mieloblasto**, con el núcleo casi redondo, y luego se divide en **mielocitos**, con las características propias que darán lugar a la respectiva formación de basófilos, neutrófilos y eosinófilos.

Los monocitos conservan siempre las características de la célula primitiva, por lo que pueden proceder tanto de sucesivos cambios de la célula madre monopotente, como directamente de la célula madre pluripotente.

Los linfocitos proceden de la médula ósea: cuando pasan a los ganglios linfáticos, originan los **linfocitos B**, encargados de la producción de anticuerpos, y cuando pasan al timo originan los **linfocitos T**, responsables de los rechazos en los transplantes de órganos.

Las plaquetas también se forman en la médula ósea. La célula monopotente experimenta divisiones incompletas porque el núcleo se divide, pero no así el citoplasma. El resultado es la formación de una célula muy gruesa, el **megacarioblasto**, de cuyo citoplasma se desprenden finalmente pequeños fragmentos, las plaquetas.

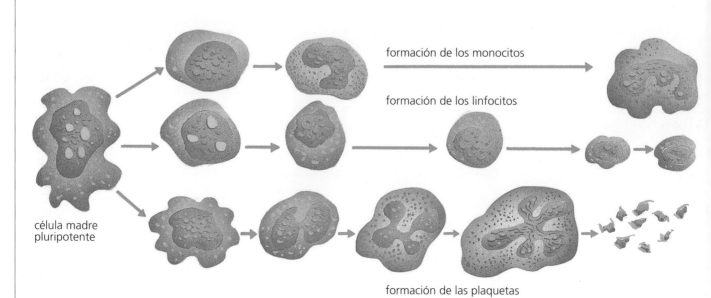

formación de los monocitos

formación de los linfocitos

célula madre
pluripotente

formación de las plaquetas

La homeostasis, mecanismo de supervivencia

La circulación sanguínea tiene dos funciones: cubrir las necesidades metabólicas de los órganos y regular la temperatura del cuerpo. Normalmente, la temperatura del organismo es superior a la temperatura ambiente, y para ello se precisa un mecanismo que controle la conservación y pérdida del calor: la regulación del flujo sanguíneo por parte del hipotálamo del encéfalo. Cuanto mayor es el flujo sanguíneo a través de la piel, mayor es la pérdida de calor hacia el medio circundante, más frío. Por tanto, si introduces un brazo en agua fría, no se enfría la sangre, sino que el hipotálamo estimula una rápida vasoconstricción superficial que reduce la circulación sanguínea y permite que se mantenga el calor interior.

Cuando la temperatura aumenta y «tienes calor», se desencadenan acciones contrarias: vasodilatación, disminución del ritmo metabólico, sudoración, etc. Este conjunto de mecanismos de control, que permiten una mayor adaptación al entorno y unas mayores posibilidades de supervivencia, recibe el nombre de **homeostasis**.

GRUPO SANGUÍNEO	DONANTE			
	A	B	AB	O
RECEPTOR A	sí	no	no	sí
B	no	sí	no	sí
AB	sí	sí	sí	sí
O	no	no	no	sí

FACTOR Rh	DONANTE	
	Rh⁺	Rh⁻
RECEPTOR Rh⁺	sí	sí
Rh⁻	no	sí

Grupos sanguíneos y Rh: cuestión de compatibilidad

Hasta principios de este siglo no se descubrió que no siempre un individuo puede tolerar la sangre de otro. En efecto, cuando se efectúa una transfusión y las respectivas sangres no son compatibles, los glóbulos rojos no permanecen en suspensión, sino que se aglutinan y forman coágulos, que pueden ser mortales para el receptor. La compatibilidad de la sangre depende de la existencia de unos anticuerpos: las **aglutininas**.

El **factor Rh**, o factor Rhesus, es un antígeno presente en los glóbulos rojos del 85 % de los individuos, y no se descubrió hasta 1940. Las personas que presentan este antígeno se dice que tienen Rh positivo (Rh⁺), mientras que las que carecen de él se dice que poseen Rh negativo (Rh⁻).

Prevención y salud

Debido a la gran cantidad de transfusiones de sangre que se realizan en los hospitales, es preciso un número importante de donantes. La donación debe ser siempre una acción anónima y altruista, y se lleva a cabo en los bancos de sangre existentes en los centros médicos o en las unidades móviles repartidas a veces por puntos estratégicos de las ciudades.

La sangre puede donarse ocasionalmente, con regularidad y en casos de urgencia, pero siempre bajo unas determinadas condiciones:

• Tener más de 18 años de edad y menos de 65.
• Pesar más de 50 kg.
• No haber dado sangre en los últimos tres (hombres) o cuatro (mujeres) meses.
• No sufrir enfermedad o problema clínico que pueda afectar al donante o al receptor: hepatitis, sida, etc.

Una persona sana regenera el primer medio litro de sangre que dona en unas cuatro semanas. Si repite las donaciones, la médula ósea llega a regenerar dicha cantidad en sólo dos semanas.

La persona que dona sangre no sólo está haciendo un favor a la sociedad, sino que también fortalece sus propios órganos productores de sangre al forzarlos a trabajar.

Una persona adulta cuenta con unos 25 billones de glóbulos rojos, de los que cada día se sustituyen aproximadamente el 1,1 % de ellos, es decir, unos 250 000 millones. Con un simple cálculo se puede deducir que los hematíes de la sangre se renuevan cada 100 días.

La jirafa tiene un corazón muy particular: pesa 12 kg y pone en circulación unos 60 litros de sangre por minuto. Debido a su largo cuello, tiene la cabeza a 3 metros del corazón. Sin embargo, un sistema de válvulas en la vena yugular le permite mantener una presión constante del flujo sanguíneo.

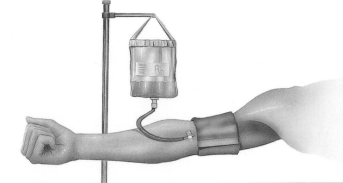

El aparato excretor

La actividad de las células origina la formación de sustancias nocivas que tu organismo debe eliminar. Este problema se soluciona con la absorción de unas sustancias, que se pueden volver a utilizar, y con la eliminación de otras al exterior. La eliminación de sustancias nocivas se lleva a cabo a través de cuatro vías: por la respiración, por el sudor, por las heces y por el aparato urinario. Este último es el aparato excretor propiamente dicho, que está formado por un complejo órgano, los riñones, y por los uréteres, la vejiga y la uretra, que constituyen las vías urinarias. El aparato urinario o excretor filtra la sangre y elimina los residuos del metabolismo, es decir, de las transformaciones que experimentan los alimentos que has tomado hasta que se convierten en sustancias asimilables. Las células obtienen así la energía necesaria para llevar a cabo sus funciones y las sustancias nocivas, a través de la sangre, pasan a los riñones.

Por la respiración

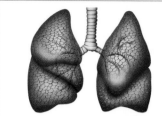

Por el sudor

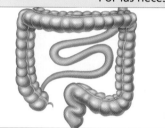

Por las heces

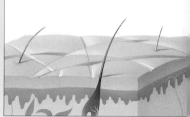

ELIMINACIÓN DE SUSTANCIAS NOCIVAS

ORGANOS DEL APARATO EXCRETOR

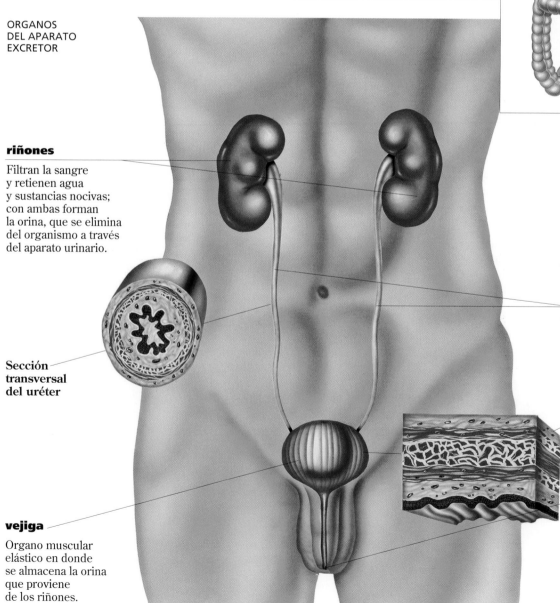

riñones

Filtran la sangre y retienen agua y sustancias nocivas; con ambas forman la orina, que se elimina del organismo a través del aparato urinario.

Sección transversal del uréter

vejiga

Organo muscular elástico en donde se almacena la orina que proviene de los riñones.

uréteres

Conductos que comunican los riñones con la vejiga.

Sección de la pared de la vejiga urinaria

uretra

Conducto por donde se expulsa al exterior la orina acumulada en la vejiga. Son diferentes la del hombre y la de la mujer.

Agua y orina

La principal función de la orina es eliminar las sustancias tóxicas o de desecho producidas durante el metabolismo. Algunas de estas sustancias, como el nitrógeno producido por el metabolismo de las proteínas, serían muy peligrosas si se acumulasen en el organismo.

Por tanto, el nitrógeno que ha de ser eliminado forma, con el ácido úrico, la principal sustancia de desecho que compone la orina: la **urea**. Pero la orina se compone en su mayor parte de agua y, además de urea, contiene diversas sales. A través de la orina también eliminas, por ejemplo, los residuos de los medicamentos que tomas cuando estás enfermo.

COMPOSICIÓN DE LA ORINA

Agua	95%
Sales minerales	2%
Urea y ácido úrico	3%

El agua es un medio de transporte que recorre todo el cuerpo formando parte del plasma de la sangre. Es una sustancia vital para tu organismo porque interviene en todos los procesos de nutrición de las células.

No te extrañe saber que eliminas un promedio de 1,5 litros diarios de orina aunque no bebas mucha agua, ya que la mayor parte la ingieres con los alimentos (¡casi el 90 % de una manzana es agua!).

VEJIGA LLENA

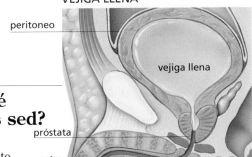

peritoneo

vejiga llena

próstata

uretra

¿Por qué tenemos sed?

El correcto funcionamiento del aparato urinario requiere un equilibrio en el volumen de agua contenido en tu cuerpo, por lo que si tienes sed es un aviso del organismo de que debes reponer esa pérdida.

El «centro de la sed» está en el hipotálamo, en el cerebro, que provoca el deseo de beber y envía órdenes a los riñones para que estos retengan más agua y se elimine menos orina. Diversos estímulos activan el hipotálamo: la sequedad de la boca, el calor (por eso en verano tienes más sed), y los gustos dulce y salado, ya que la glucosa y el sodio que

¿ Sabías que...

...hay animales que tienen reservas de agua en su interior?

El camello y el dromedario pueden permanecer hasta 15 días sin beber, e incluso pueden perder la cuarta parte de su peso sin riesgo alguno. El secreto reside en su joroba, una reserva de grasa que les proporciona importantes cantidades de agua. Además, transpiran menos que los seres humanos: sus largas patas y cuello favorecen la circulación del aire, y su espesa piel les protege de los rayos del sol. Sin embargo, cuando apagan su sed son como una esponja: ¡pueden llegar a beber 135 L de agua en 10 minutos!

También las plantas, como los animales y los seres humanos, necesitan agua para vivir. Algunas especies del desierto, como los cactus, no tienen hojas y realizan la fotosíntesis en sus gruesos tallos, en donde almacenan la mayor cantidad posible de agua. Otras, como el mezquite, hunden sus raíces hasta una profundidad superior a 50 m, donde hay humedad. Estas plantas son las únicas fuentes de agua para muchos animales del desierto, que así no necesitan beber.

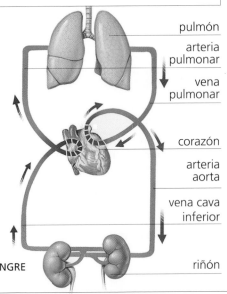

VEJIGA VACÍA

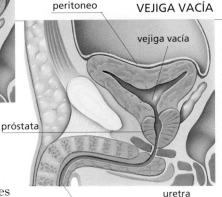

peritoneo

vejiga vacía

próstata

uretra

contienen, respectivamente, los alimentos muy dulces o muy salados atraen al interior de los vasos sanguíneos parte del agua de las células. El hipotálamo también actúa cuando la vejiga urinaria está llena: la distensión de las paredes de la vejiga origina una serie de estímulos nerviosos, y entonces el cerebro envía las órdenes precisas para que se abra el esfínter externo y se contraigan las paredes.

La sangre, elemento esencial

En el trabajo realizado por las células para nutrirse con los componentes básicos de los alimentos que ingieres se producen residuos. Los hidratos de carbono y las grasas se transforman en dióxido de carbono y agua, y las proteínas, en nitrógeno, fósforo, azufre, etc.

La sangre se encarga de transportar las sustancias tóxicas originadas, como amoníaco y sales, cuya acumulación sería muy peligrosa para tu organismo. Son los riñones los órganos que habrán de eliminar de la sangre estas sustancias perjudiciales. Para ello, la sangre entra por las arterias renales y, a través de una red de vasos y capilares sanguíneos, se dirige a las nefronas de cada riñón, que purifican una gran parte de la sangre separando de ella el exceso de agua, la sal, la urea y otras sustancias de desecho que forman la orina.

La sangre filtrada vuelve al corazón a través de la vena cava inferior y, luego, a los pulmones, donde se oxigena nuevamente.

pulmón

arteria pulmonar

vena pulmonar

corazón

arteria aorta

vena cava inferior

riñón

CIRCUITO DE LA SANGRE

Los órganos del aparato excretor

Riñones

Los riñones son dos órganos de color rojo oscuro y de forma parecida a una habichuela, de unos 12 cm de longitud, que están situados en la cavidad abdominal, a la altura de las últimas vértebras dorsales.

Si uniésemos todas las nefronas de los dos riñones, una después de la otra, medirían unos 300 km.

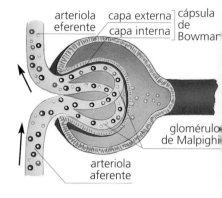

arteriola eferente · capa externa · capa interna · cápsula de Bowman · glomérulo de Malpighi · arteriola aferente

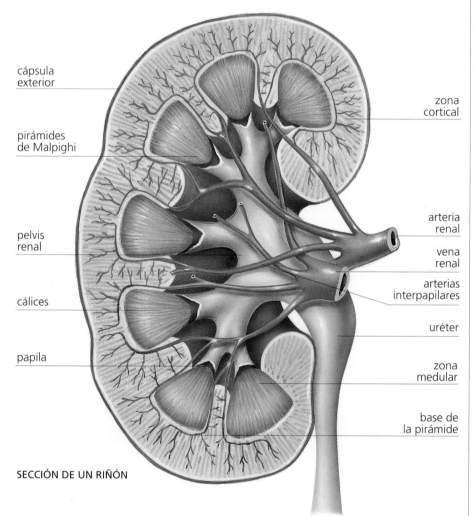

cápsula exterior
pirámides de Malpighi
pelvis renal
cálices
papila
zona cortical
arteria renal
vena renal
arterias interpapilares
uréter
zona medular
base de la pirámide

SECCIÓN DE UN RIÑÓN

Uréteres

El organismo ha de desprenderse de las sustancias nocivas a través de un sistema de conductos excretores o **vías urinarias**.
Los uréteres, órgano inicial de las vías urinarias, son dos conductos, de unos 25-30 cm, que unen cada uno de los riñones con la vejiga. Sus paredes están formadas por dos capas:
• *Capa mucosa*: recubre su parte interna.
• *Capa muscular*: su tejido muscular liso permite que el uréter pueda contraerse y, mediante movimientos peristálticos, impulsar la orina hacia la vejiga.
El extremo superior del uréter es la continuación de la pelvis renal de cada riñón, y el extremo inferior comunica con la vejiga, donde queda almacenada la **orina**.

Vejiga

La vejiga es un órgano muscular elástico, ubicado en la parte inferior del abdomen, cuya función consiste en almacenar la orina que desciende por los uréteres.
El tejido muscular que la forma le otorga una gran elasticidad para que sea posible retener un considerable volumen de orina, unos 300-350 cm^3.
En la vejiga hay dos músculos, llamados **esfínteres**, que impiden la salida de la orina hasta que la vejiga está llena.
Un esfínter se encuentra dentro de ella, alrededor del orificio de la uretra, y el otro está en la uretra, unos 2 cm más abajo. Este segundo esfínter, o esfínter externo, es el que podemos contraer a voluntad.
La distensión de la vejiga cuando está llena provoca la contracción del músculo y la relajación del esfínter interno. Si, de forma voluntaria, relajamos el esfínter externo, entonces la orina desciende por la uretra.

En cada riñón se pueden distinguir las siguientes partes:

• *Cápsula exterior*: recubre el riñón y es de color blanquecino.

• *Zona cortical*: parte externa, lisa y de color amarillento.

• *Zona medular*: parte interna, de color rojizo. Presenta 10 o 12 estructuras piramidales, las pirámides de Malpighi, cuyos vértices o papilas se orientan hacia el interior del riñón.

• *Pelvis renal*: parte del riñón que comunica con el uréter; es un receptáculo donde se agrupan unas pequeñas bolsas llamadas cálices, que recogen la orina que sale de las papilas.

• *Glándulas suprarrenales*: no son una parte del riñón, sino dos glándulas endocrinas, es decir, que producen hormonas, la cortisona (regula sobre todo el metabolismo de los hidratos de carbono, las grasas y las proteínas) y la adrenalina (regula el funcionamiento del corazón y la dilatación o contracción de los vasos sanguíneos).

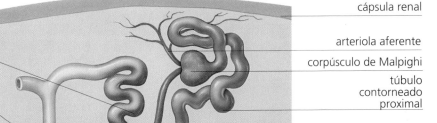

cápsula renal

arteriola aferente

corpúsculo de Malpighi

túbulo contorneado proximal

túbulo contorneado distal

asa de Henle

túbulo colector

DETALLE DE
UNA NEFRONA

arteriola eferente

Así funcionan los riñones

La nefrona es la unidad funcional del riñón (hay más de un millón de nefronas en cada uno). En cada nefrona existen numerosos vasos sanguíneos que se ramifican hasta convertirse en delgadísimos capilares. Cada red capilar rodea un corpúsculo esférico, de 1 o 2 décimas de milímetro, llamado glomérulo de Malpighi, que está recubierto por una membrana o cápsula de Bowman. La sangre entra en la cápsula por una pequeña arteria y se distribuye por la red de capilares sanguíneos del glomérulo. A través de las delgadísimas paredes de los capilares, la sangre se desprende del agua y de las sustancias nocivas que contiene.
La sangre limpia y filtrada es recogida por venas cada vez más grandes, hasta desembocar en la vena renal, y de ésta, a la vena cava inferior.
El agua y las sustancias de desecho pasan a través de la delgada cápsula de Bowman y entran en un conducto que sale del glomérulo, el túbulo contorneado proximal, pasan por un tramo curvo o asa de Henle, y continúan por el túbulo contorneado distal, que confluye en un conducto más ancho, el túbulo colector. Los túbulos colectores se empalman entre ellos en las pirámides para formar los tubos papilares y transportan la orina a los extremos de las papilas; los productos de desecho se recogen en la pelvis renal, de donde descienden a la vejiga a través del uréter.

Uretra

Las uretras masculina y femenina son diferentes debido a la distinta estructura de sus órganos de reproducción.
La uretra masculina es un conducto de unos 18 cm de longitud destinado a conducir la orina y el líquido espermático al exterior. En ella se abren los conductos eyaculadores y termina en el **meato** urinario del glande.
La uretra femenina tiene una longitud de 3-4 cm y comprende desde la vejiga hasta el orificio inferior o meato.

 Los riñones filtran toda la sangre del sistema circulatorio más de 30 veces al día, lo que representa unos 170 litros cada 24 horas. El 99 % del líquido filtrado vuelve a la circulación sanguínea y sólo se eliminan 1,5 litros de orina, en su mayor parte agua.

Una persona normal expulsa durante toda su vida unos 41 000 l de orina, suficientes para cubrir la superficie de un campo de fútbol.

Prevención y salud

L a función que realizan los riñones filtrando la sangre es fundamental para mantener la composición y el volumen de sangre y para eliminar las sustancias nocivas del organismo.
La prevención básica para un correcto funcionamiento del aparato excretor consiste fundamentalmente en dos normas:
• Ingerir una cantidad suficiente de líquido para facilitar la eliminación de sustancias tóxicas. Habrás notado que bebes más en verano: esto se debe a que has de compensar la pérdida de líquido por el sudor.
• Seguir una alimentación variada que complete la ingestión de líquidos.
En caso de insuficiencia renal grave, las sustancias tóxicas que deberían eliminarse quedan retenidas en la sangre, por lo que ha de recurrirse a la diálisis o al trasplante de un riñón.
La **diálisis** es un procedimiento de depuración artificial de la sangre mediante un aparato que separa los desechos del metabolismo fuera del cuerpo del enfermo: gracias a un sistema de filtros, la sangre deja sus impurezas, que pasan a una corriente de agua que las disuelve y arrastra.

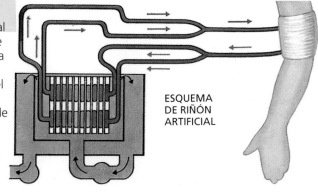

ESQUEMA DE RIÑÓN ARTIFICIAL

El aparato locomotor

E l cuerpo humano es un conjunto de órganos, sistemas y aparatos que actúan de forma coordinada para realizar las funciones vitales: la nutrición, la reproducción y la relación.

El movimiento es una parte muy importante de la función de relación, y el cuerpo hace posible este movimiento mediante el aparato locomotor. El aparato locomotor está formado por huesos, músculos y articulaciones. Los primeros son piezas duras y resistentes que sostienen el cuerpo; los músculos, partes blandas que recubren el hueso; y las articulaciones, estructuras donde se unen los huesos. El conjunto de huesos, unos 206, constituye el sistema óseo o esqueleto, que dota al cuerpo de su configuración o apariencia externa, le proporciona una estructura rígida y resistente, protege las vísceras u órganos internos, fabrica las células de la sangre y almacena sales minerales.

Los músculos, más de 400, recubren el esqueleto y, junto con los huesos y las articulaciones, hacen posible el movimiento, pero otros realizan funciones no relacionadas con el aparato locomotor, como las venas y las arterias, que permiten la circulación de la sangre impulsada por el corazón.

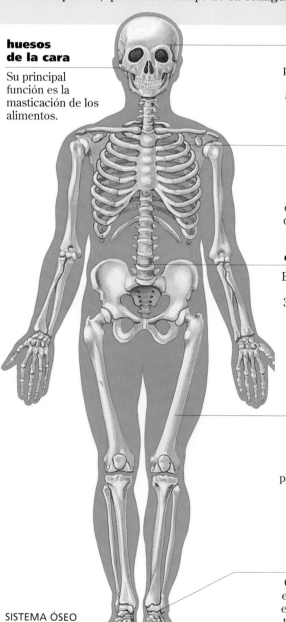

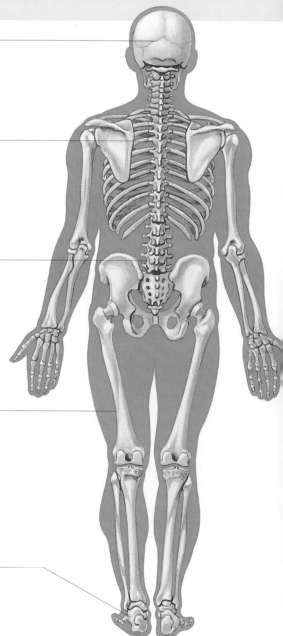

huesos de la cara

Su principal función es la masticación de los alimentos.

huesos del cráneo

El cráneo está formado por ocho huesos planos, unidos mediante articulaciones fijas, que protegen el encéfalo.

costillas

Son los huesos que, junto con el esternón, constituyen la caja torácica, verdadero elemento de protección de las vísceras ubicadas en su interior.

columna vertebral

Eje o soporte de nuestro cuerpo, consta de 33 o 34 vértebras, que alojan la médula espinal.

fémur

Es el hueso más largo del cuerpo humano. Permite los diferentes movimientos de la pierna gracias a su unión con la rótula, una articulación muy compleja.

huesos del pie

Conjunto de 26 huesos entre los cuales destaca el calcáneo, el de mayor tamaño, que constituye el talón.

SISTEMA ÓSEO O ESQUELETO

Lucha entre células

Básicamente, los huesos se componen de agua y sustancias minerales formadas a partir del calcio y del fósforo, además de una sustancia llamada osteína. El hueso no es un órgano estático, sino que se halla en continua formación y destrucción. Para ello posee osteoblastos, células formadoras del hueso, y osteoclastos, células que lo destruyen para impedir un excesivo grosor del mismo. En caso de fractura, los osteoclastos destruyen los fragmentos de hueso y los osteoblastos generan tejido óseo nuevo.

El desarrollo y fortalecimiento del hueso dependen de la vitamina D y de la vitamina D_2 o calciferol, que regula el metabolismo del calcio, imprescindible para el funcionamiento de los músculos. El calciferol lo podrás encontrar, sobre todo, en el aceite de hígado de bacalao, el atún, la leche y los huevos. También los rayos ultravioleta del sol favorecen la absorción de vitamina D.

La persona más alta que ha habido en el mundo ha sido un estadounidense que medía 2,72 m. Todavía crecía cuando murió en 1940, a la edad de 22 años. La persona más baja fue una neerlandesa de 19 años: murió en 1895 y sólo medía 59 cm de altura.

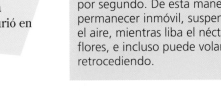

¿ Sabías que...

...los huesos de dinosaurio son los más largos que se conocen?

Los huesos más largos de los que se tiene noticia son los del braquiosario, un dinosaurio cuyos restos se descubrieron en Colorado (Estados Unidos). Sus omóplatos alcanzaban los 2,4 m de longitud y algunas costillas superaban los 3 m.

Entre los actuales seres vivos, la jirafa es el animal más alto del planeta, ya que puede llegar a medir hasta 6 m de altura. Su largo cuello, de más de 2 m, imprescindible para alimentarse de las ramas de los árboles, tan sólo posee siete vértebras cervicales, las mismas que las del ratón.

Quizá los huesos de menor tamaño sean los del oído del colibrí, un pájaro que sólo mide 2 o 3 cm de largo, pero con unos rapidísimos músculos en las alas, que bate unas 90 veces por segundo. De esta manera puede permanecer inmóvil, suspendido en el aire, mientras liba el néctar de las flores, e incluso puede volar retrocediendo.

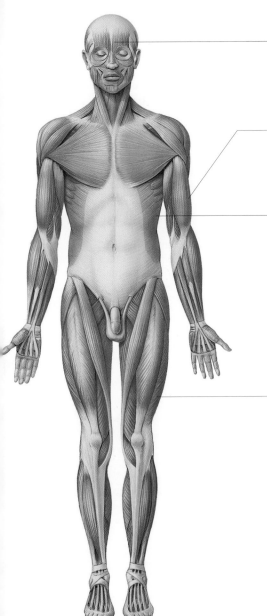

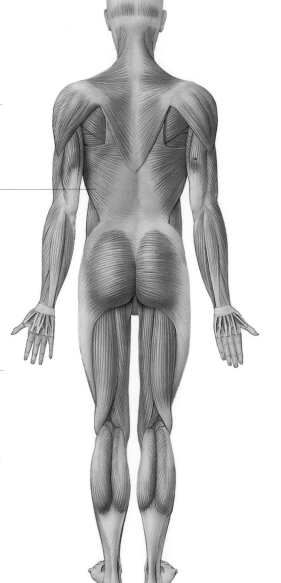

músculos de la cara

Nos permiten adoptar las diferentes expresiones de nuestro rostro: risa, enfado, etc.

bíceps

Junto con el tríceps, que es su músculo antagónico, permite la flexión y la extensión del antebrazo.

oblicuos

Músculos que, cuando se contraen, permiten expulsar el aire de los pulmones. Realizan el trabajo inverso al que efectúa el diafragma, que aquí no puedes observar porque se halla en el interior de la cavidad abdominal.

cuadríceps

Como ocurre en las extremidades superiores, el cuadríceps también tiene un músculo antagónico, el bíceps femoral. Ambos se encargan de la flexión y la extensión del muslo.

SISTEMA MUSCULAR

Los huesos del esqueleto

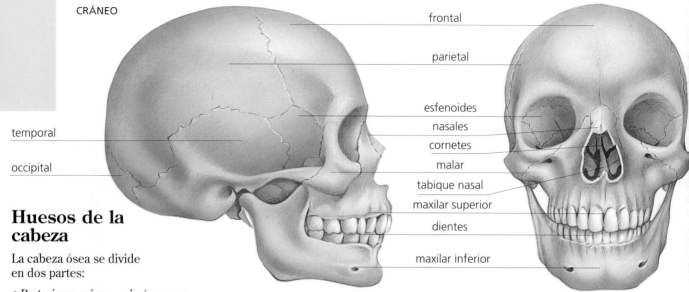

CRÁNEO

frontal

parietal

esfenoides

nasales

cornetes

malar

tabique nasal

maxilar superior

dientes

maxilar inferior

temporal

occipital

Huesos de la cabeza

La cabeza ósea se divide en dos partes:

• *Posterior o cráneo*: caja ósea que contiene el encéfalo.

• *Anterior o cara*: aloja la mayoría de los órganos de los sentidos y sostiene los de la masticación.

El cráneo está formado por ocho huesos planos muy resistentes. Los dos **parietales** se sitúan en las áreas laterales superiores. Los dos **temporales** se ubican en la parte inferior y protegen los órganos del oído y del equilibrio. El hueso **frontal** da forma a la frente, sirve de base al cráneo y presenta dos profundas cavidades u **órbitas**, donde se alojan los globos oculares. El **occipital** es un hueso situado en la parte posterior e inferior del cráneo. Presenta un gran orificio interior, el **agujero occipital**, que comunica el cráneo con la médula espinal de la columna vertebral, y a través del cual pasan las principales vías nerviosas. El **etmoides** es un pequeño hueso que forma parte de la pared externa de las fosas nasales, y el **esfenoides**, en la parte anterior y media de la base del cráneo, aloja la glándula hipófisis.

Los huesos de la cara se pueden dividir en dos porciones: la superior está formada por un hueso fijo, el **maxilar superior**, y la inferior, por un hueso articulado, el **maxilar inferior**, cuya principal función es la masticación.

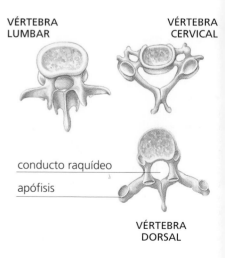

El hueso más pequeño del cuerpo humano es el estribo, que se encuentra en el oído interno y mide sólo 3 mm. En la uña del dedo meñique cabrían dos o tres de ellos.

Huesos de la columna vertebral

La columna vertebral, el eje o soporte de nuestro cuerpo, está formada por 33 o 34 **vértebras**, elementos óseos superpuestos en forma regular. Las vértebras, que en su conjunto delimitan el conducto raquídeo, donde se aloja la

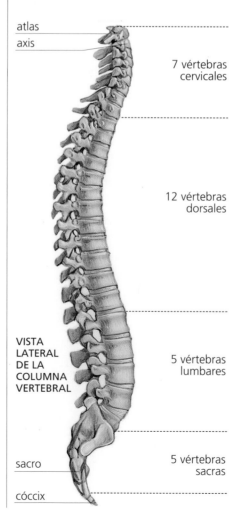

atlas

axis

7 vértebras cervicales

12 vértebras dorsales

VISTA LATERAL DE LA COLUMNA VERTEBRAL

5 vértebras lumbares

sacro

5 vértebras sacras

cóccix

médula espinal, presentan un agujero central y unas pequeñas protuberancias, las **apófisis**, en donde se unen los músculos. Las vértebras se distribuyen de la forma siguiente:

• 7 **cervicales**: son las menos gruesas y las de mayor movilidad. La primera cervical, el **atlas**, es una vértebra incompleta, y la segunda, el **axis**, permite la rotación lateral del cuello.

• 12 **dorsales**: corresponden a la zona de la espalda y presentan mayor grosor y menor movilidad que las cervicales.

• 5 **lumbares**: corresponden a la zona de la cintura y tienen bastante movilidad.

• 5 **sacras**: soldadas entre sí, forman el **sacro**, hueso muy resistente que sirve de base a la columna vertebral.

• 4 o 5 **coccígeas**: también se hallan fuertemente unidas entre sí para formar el **cóccix**.

VÉRTEBRA LUMBAR

VÉRTEBRA CERVICAL

conducto raquídeo

apófisis

VÉRTEBRA DORSAL

Huesos del tórax

El tórax es la parte superior del tronco, y el esqueleto que protege esta parte del cuerpo, donde se alojan los pulmones y el corazón principalmente, se denomina **caja torácica**. Además de ofrecer protección a las vísceras situadas en su interior, el tórax es una pieza fundamental de la mecánica o de los movimientos respiratorios.

Los principales huesos que dan forma a la caja torácica son las costillas y el esternón.

Las **costillas** están formadas por 24 huesos largos y estrechos, unidos en la espalda a la columna vertebral. Las siete primeras se denominan costillas verdaderas porque se articulan con el esternón a través de su respectivo cartílago. Las cinco últimas, o costillas falsas, no se articulan directamente con el esternón, sino que sus respectivos cartílagos se unen entre sí. De ellas, la undécima y la duodécima se denominan costillas flotantes, porque se encuentran libres en toda su extensión.

El **esternón** es un hueso largo y plano, de unos 15-20 cm de longitud, situado en la parte delantera del tórax. Se articula con las dos clavículas del hombro y con las siete costillas verdaderas.

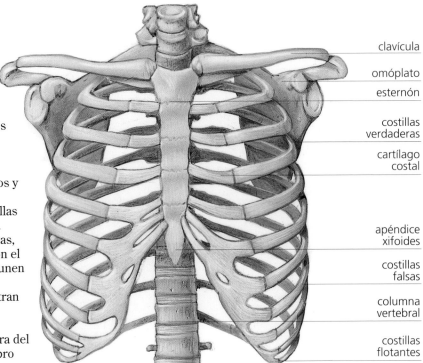

- clavícula
- omóplato
- esternón
- costillas verdaderas
- cartílago costal
- apéndice xifoides
- costillas falsas
- columna vertebral
- costillas flotantes

Huesos de las extremidades superiores

El miembro superior está formado por cuatro segmentos:

- *Hombro*: se encuentra, propiamente, en la parte superior del tórax. Lo constituyen dos huesos, la **clavícula** por delante, y el **omóplato** o **escápula** por detrás, que es el lugar de inserción de importantes elementos musculares y ligamentos.
- *Brazo*: sólo hay el **húmero**, un hueso largo cuya epífisis inferior contribuye a la articulación del codo.

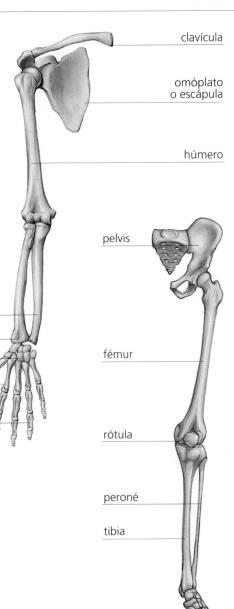

- clavícula
- omóplato o escápula
- húmero
- pelvis
- fémur
- rótula
- peroné
- tibia
- huesos del pie
- cúbito
- radio
- huesos del carpo
- huesos metacarpianos
- falanges

- *Antebrazo*: lo constituyen dos huesos dispuestos paralelamente entre sí. El **cúbito** es un hueso largo, ligeramente encorvado, que se articula con el húmero a la altura del codo. El **radio**, situado por fuera del cúbito, también se articula con el húmero. Para efectuar el movimiento de rotación de la muñeca, el radio se cruza con el cúbito formando una X.
- *Muñeca, mano y dedos*: existen un total de 27 pequeños huesos, agrupados en **carpianos**, **metacarpianos** y **falanges**.

Huesos de las extremidades inferiores

El miembro inferior se divide en cuatro segmentos:

- *Pelvis o cadera*: está formada por la unión de los dos huesos coxales, el sacro y el cóccix. La pelvis masculina es más gruesa que la femenina, pero esta es más ancha y está más inclinada para facilitar el paso del feto en el parto.
- *Muslo*: sólo lo constituye el **fémur**, el hueso más largo del cuerpo humano.
- *Pierna*: está formada por dos huesos largos, la **tibia** y el **peroné**, que se articulan con la rodilla y con el tobillo. En la rodilla, un hueso corto, aplanado y redondeado, la rótula, permite la flexión y la extensión de la pierna.
- *Pie*: comprende 26 huesos, dispuestos en tres grupos. Entre los huesos del tobillo está el de mayor tamaño del pie, el **calcáneo**, que forma el talón. Los **metatarsianos** y las **falanges** son semejantes a los de la mano, pero están menos desarrollados a causa de su menor movilidad.

La palabra *clavícula* procede del latín *clavicula*, «llavecita», ya que su forma recuerda la tranca con la que se cerraban las puertas. *Tibia* también es una palabra que procede del latín, *tibia*, puesto que tiene una forma similar a la tibia, un antiguo instrumento musical semejante a la flauta.

¿Cómo crecen los huesos?

Partes del hueso

Los huesos presentan una parte exterior, llamada **periostio**, y una parte interior, formada por **tejido óseo**.

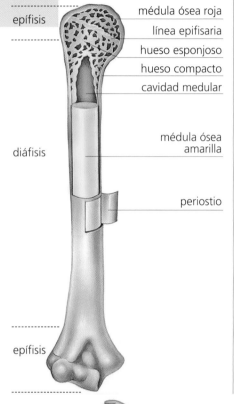

- epífisis
- médula ósea roja
- línea epifisaria
- hueso esponjoso
- hueso compacto
- cavidad medular
- diáfisis
- médula ósea amarilla
- periostio
- epífisis

Tejidos óseos

A medida que el hueso crece, se van formando las sucesivas capas de tejido óseo, es decir:

• *Tejido óseo esponjoso*: se encuentra en la parte central de los huesos cortos y planos, y en los extremos de los largos. Las pequeñas cavidades que presenta las llena la **médula ósea roja**, encargada de fabricar las células de la sangre.

• *Tejido óseo compacto*: se encuentra en la superficie de los huesos cortos y planos, y en la parte central de los largos. En su superficie posee unos conductos, los **canales de Havers**, por donde pasan los vasos sanguíneos que nutren los huesos, y en su interior se halla un tejido graso, la **médula ósea amarilla** o **tuétano**.

La forma de los huesos

Los huesos presentan formas muy variadas, según la función que han de desempeñar: largos (con una parte central, la **diáfisis**, y dos extremos, llamados **epífisis**, como el fémur), cortos (huesos de la muñeca), planos (costillas, cráneo), irregulares (huesecillos del oído) y sesamoideos (rótula de la rodilla).

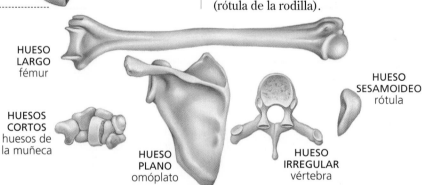

- HUESO LARGO fémur
- HUESOS CORTOS huesos de la muñeca
- HUESO PLANO omóplato
- HUESO IRREGULAR vértebra
- HUESO SESAMOIDEO rótula

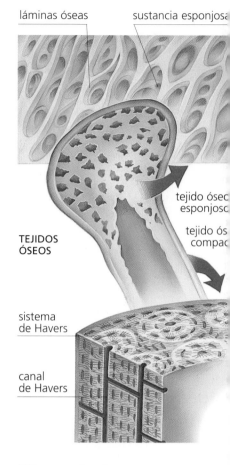

- láminas óseas
- sustancia esponjosa
- TEJIDOS ÓSEOS
- tejido óseo esponjoso
- tejido óseo compacto
- sistema de Havers
- canal de Havers

El crecimiento

En el momento del nacimiento, los huesos no se hallan totalmente calcificados, sino que presentan en sus extremos una zona, el **cartílago** o **placa de crecimiento**, a partir del cual se va formando el tejido óseo nuevo durante la infancia y la adolescencia, hasta los 20-25 años de edad. Este desarrollo del hueso lo regula una hormona producida en el cerebro por la glándula hipófisis.

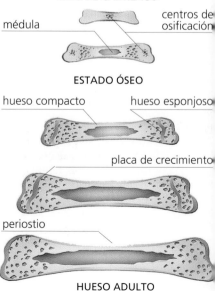

FASE DE CARTÍLAGO
- médula
- centros de osificación

ESTADO ÓSEO
- hueso compacto
- hueso esponjoso
- placa de crecimiento
- periostio

HUESO ADULTO

Prevención y salud

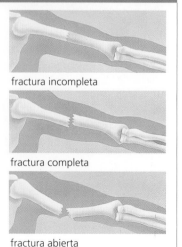

Los elementos que forman el aparato locomotor son bastante resistentes, pero también han de ser flexibles para que te permitan realizar una amplia variedad de movimientos, por lo que frecuentemente están expuestos a posibles roturas.

Una fractura es la rotura de un hueso, sea completa o incompleta. Si el hueso se rompe por completo y, además, rasga los tejidos cercanos y abre una herida en la piel, se denomina fractura abierta.

La mejor forma de prevenir esta circunstancia consiste en que evites los movimientos bruscos y violentos, por ejemplo, flexionando las piernas al saltar y cayendo sobre las puntas de los pies.

- fractura incompleta
- fractura completa
- fractura abierta

Las articulaciones

Articulaciones de movimiento

• *Hombro*: la articulación con mayor amplitud de movimientos del cuerpo humano es la del húmero con el omóplato a través de la **cavidad glenoidea**.

• *Codo*: el húmero, el cúbito y el radio se articulan entre ellos, lo que permite también un pequeño movimiento de giro del codo.

• *Rodilla*: es una compleja articulación que posibilita los movimientos de flexión y extensión de la pierna, además de pequeños movimientos de rotación. En la rodilla se unen el fémur del muslo y la tibia de la pierna, dos huesos largos y fuertes que sostienen casi todo el peso del esqueleto, junto con la rótula, que se halla en uno de los tendones de los músculos cuadríceps.

• *Cadera*: el fémur se articula con los huesos coxales de la pelvis.

• *Muñeca*: existen varias articulaciones entre los numerosos huesos pequeños y planos, unidos por fuertes ligamentos.

• *Tobillo y pie*: la función de los ligamentos es muy importante porque, además de permitir el movimiento del tobillo y del pie, han de mantener arqueada la planta del pie.

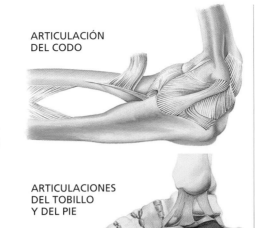

ARTICULACIÓN DEL CODO

ARTICULACIONES DEL TOBILLO Y DEL PIE

Elementos de una articulación

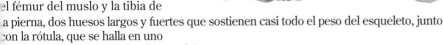

En cada articulación hay diferentes elementos que aseguran y facilitan el movimiento de unas partes del esqueleto, y mantienen otras sólidamente unidas. Por tanto, también hay presentes tejidos no óseos que protegen la articulación y suavizan el roce entre los huesos:

• *Cartílago*: es un tejido que recubre los extremos de los huesos, lo cual suaviza el desgaste del roce continuo.

• *Membrana sinovial*: es una especie de bolsa que recubre la superficie interna de la articulación y segrega el **líquido sinovial**, una sustancia viscosa que lubrica los cartílagos y los nutre, ya que las articulaciones carecen de vasos sanguíneos.

• *Cápsula articular*: es una membrana fibrosa, en forma de manguito, que envuelve la articulación. Da estabilidad e impide el desplazamiento excesivo de los huesos.

• *Meniscos*: son dos cartílagos duros, en forma de semiluna, que aumentan la superficie de contacto entre dos huesos, como en la articulación de la rodilla.

• *Ligamentos*: son estructuras fibrosas que dan firmeza a la unión entre los huesos y limitan su amplitud de movimientos. Se encuentran en la parte exterior de la cápsula articular, pero en algunas articulaciones se localizan en el interior para conseguir más resistencia, como los **ligamentos redondos** de la cadera.

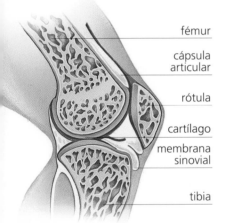

fémur

cápsula articular

rótula

cartílago

membrana sinovial

tibia

ARTICULACIÓN DE LA RODILLA

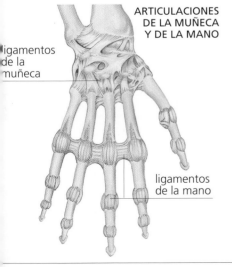

ligamentos de la muñeca

ARTICULACIONES DE LA MUÑECA Y DE LA MANO

ligamentos de la mano

¿Articulaciones sin movimiento?

En el cuerpo humano hay más de 200 articulaciones. Unas se encargan del movimiento de distintas partes del esqueleto, mientras que otras tienen poco movimiento y sirven para sostener y mantener unidas otras partes del mismo.

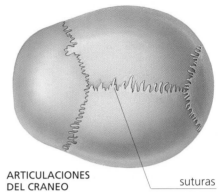

ARTICULACIONES DEL CRANEO

suturas

Un claro ejemplo de articulaciones **fijas** son las que unen los huesos del cráneo mediante unas líneas quebradas y en zigzag denominadas **suturas**. Otras articulaciones, las **semimóviles**, presentan movimientos poco extensos. Es el caso de la **sínfisis del pubis**, que une los dos huesos coxales de la cadera, pero prácticamente carece de movimiento.

Las articulaciones **móviles** son el origen de la mayor parte de nuestros movimientos. Los extremos de los huesos tienen formas diferentes y se articulan de distintas maneras. Por ejemplo, en las **articulaciones condileas**, como la de la rodilla, las superficies articulares son en forma de elipse, por un lado, y de una cavidad, por el otro. Las **trocleares**, como la del codo, tienen forma de polea. La **articulación trocoide** se asemeja a un cilindro que da vueltas sobre su eje, como ocurre entre el radio y el cúbito.

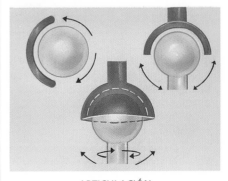

ARTICULACIÓN CONDILEA

ARTICULACIÓN TROCLEAR

ARTICULACIÓN TROCOIDE

El sistema muscular

Músculos de la cabeza y del cuello

Los músculos de la cabeza, en general de pequeño tamaño, se incluyen en dos grupos:

• *Faciales o de la mímica*: están unidos a los huesos y la piel de la cara. Mediante el **orbicular de los ojos**, el **buccinador** o el **risorio**, entre otros, podemos adoptar las diferentes expresiones de la cara y manifestar nuestro estado de ánimo.

• *Masticadores*: permiten el movimiento del maxilar inferior, lo que posibilita la masticación de los alimentos.

Los músculos del cuello, gruesos y resistentes, tienen una función básica: recubrir los huesos que unen la cabeza al tronco y permitir la amplitud de movimientos de la cabeza. El **esternocleidomastoideo**, a cada lado del cuello, se encarga de los movimientos de flexión y rotación de la cabeza, mientras que el trapecio une la cabeza con algunas vértebras y costillas.

frontal

orbicular de los ojos

orbicular de los labios

esternocleido-mastoideo

temporal

risorio

buccinador

trapecio

Músculos del tórax y del abdomen

Los músculos principales del tórax son los **pectorales**, que levantan los brazos al contraerse, y los **serratos**, que elevan las costillas cuando expulsamos aire.
Entre la cavidad torácica y la cavidad abdominal, en el interior del organismo, existe un músculo en forma de paraguas abierto, el **diafragma**, que se contrae cuando inspiramos aire para empujar las costillas hacia arriba y aumentar el volumen de la caja torácica.
En el abdomen, los **oblicuos** realizan un trabajo inverso al del diafragma: cuando se contraen, tiran de las costillas hacia abajo y expulsan el aire de los pulmones.
El **recto** recubre la zona del vientre y, cuando se contrae, permite doblar la cintura.

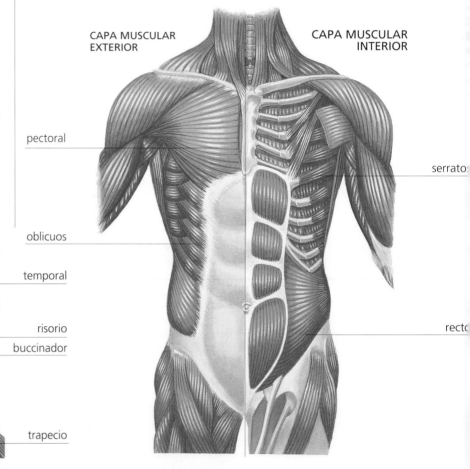

CAPA MUSCULAR EXTERIOR

CAPA MUSCULAR INTERIOR

pectoral

oblicuos

serrato

recto

Prevención y salud

Muchas veces habrás dicho que tienes **agujetas**. Este dolor muscular se origina cuando sometes un músculo desentrenado a un ejercicio físico excesivo, lo que produce un residuo de ácido láctico. La mejor forma de evitarlas es la práctica habitual de ejercicio. En otras ocasiones quizá hayas tenido algún **calambre**, motivado por la súbita contracción de un grupo de músculos, por lo que siempre es necesario realizar un buen precalentamiento muscular antes de cualquier práctica deportiva.
Las lesiones de las articulaciones suelen confundirse: el **esguince** es un desgarro o rotura de los ligamentos, pero los huesos de la articulación se mantienen unidos, mientras que la **luxación** o **dislocación** consiste en el desplazamiento de un hueso de la posición normal que ocupa en una articulación.

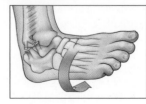

esguince

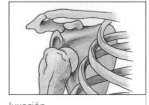

luxación

El músculo más rápido de nuestro organismo es el que abre y cierra los párpados, que puede hacerlo hasta cinco veces por segundo.

El número de músculos del cuerpo humano es tan considerable que representan entre el 30 y el 50 % del peso total.

El masetero, el músculo que mueve la mandíbula durante la masticación, es uno de los músculos más entrenados: desarrolla una fuerza equivalente a 100 kg.

Músculos de las extremidades superiores

• *Hombro*: recubriendo cada hombro se encuentra el **deltoides**, cuya acción permite levantar y desplazar los brazos.
• *Brazo*: los más importantes son el **bíceps**, en la parte anterior, y el **tríceps**, en la posterior. Son dos músculos antagónicos, es decir, que realizan funciones contrarias para hacer posible un movimiento determinado, en este caso la flexión y la extensión del antebrazo.
• *Antebrazo*: los músculos **supinadores** y **pronadores** permiten los movimientos de giro del antebrazo, el movimiento de la mano en cualquier dirección, y la flexión y extensión de los dedos.
• *Mano*: son músculos cortos y pequeños, ya que sólo se encargan de mover los dedos. El más importante es el que permite la oposición del pulgar, es decir, la acción de «pinza» de la mano.

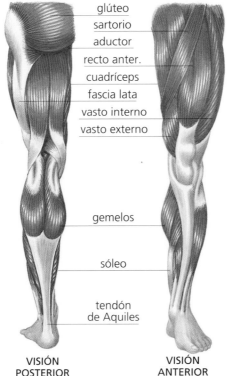

glúteo
sartorio
aductor
recto anter.
cuadríceps
fascia lata
vasto interno
vasto externo

gemelos

sóleo

tendón
de Aquiles

VISIÓN
POSTERIOR

VISIÓN
ANTERIOR

Músculos de las extremidades inferiores

• *Pelvis* o *cadera*: recubriendo la pelvis se encuentran los **glúteos**, tres músculos que forman las nalgas. Su acción permite que el tronco se mantenga erguido y que el ser humano sea capaz de caminar sobre dos piernas.
• *Muslo*: los más destacables son el **cuadríceps**, músculo extensor de la pierna; el **bíceps femoral**, antagónico del anterior; y los aductores, conjunto de músculos en forma de abanico que permiten la flexión y la extensión del muslo.
• *Pierna*: cabe destacar los **gemelos** y el **sóleo**, cuya acción conjunta permite la flexión y extensión del pie al caminar. Se insertan en el hueso calcáneo del talón del pie a través del **tendón de Aquiles**.
• *Pie*: existen pequeños músculos que permiten realizar algún movimiento de los dedos y facilitan el caminar.

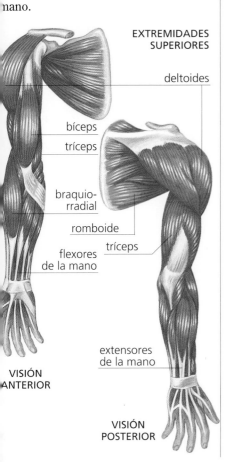

EXTREMIDADES
SUPERIORES

deltoides

bíceps

tríceps

braquio-
rradial

romboide

flexores
de la mano

tríceps

VISIÓN
ANTERIOR

extensores
de la mano

VISIÓN
POSTERIOR

FORMAS DE LOS MÚSCULOS

¿Son iguales todos los músculos?

Los músculos pueden clasificarse según su forma o según el tipo de fibra que los componen. Atendiendo a su forma, se pueden distinguir los siguientes grupos:

• *Anchos* y *planos*: son los que tienes en el tórax y en el abdomen. Protegen los órganos delicados e intervienen en los movimientos de la respiración.
• *Largos* o *fusiformes*: forman parte del aparato locomotor (brazos y piernas).
• *Cortos* u *orbiculares*: son pequeños músculos con funciones particulares (boca, ojos, etc.).
• *Circulares*: tienen forma de anillo y cierran diferentes conductos del cuerpo (vejiga de la orina).

El tejido muscular está formado por unos filamentos alargados o fibras, por lo que pueden diferenciarse dos tipos de músculos:

• *De fibra estriada*: son robustos y potentes, ya que forman parte del aparato locomotor. Son músculos **voluntarios**, es decir, que puedes contraer mediante una orden del cerebro, excepto el corazón,

un músculo involuntario formado por un tipo de fibra estriada especial, el **miocardio**.
• *De fibra lisa*: están constituidos por células musculares sin estrías. Su característica principal es que son **involuntarios**, es decir, que no los puedes contraer a voluntad, por lo que forman parte de numerosos conductos del cuerpo: las paredes del esófago, del estómago y del intestino, las venas y arterias, etc.

TIPOS DE MÚSCULOS

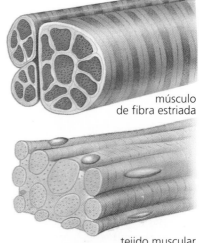

músculo
de fibra estriada

tejido muscular
de fibra estriada del corazón

músculo
de fibra lisa

músculo largo

músculo corto

músculo
plano

músculo circular

El sistema nervioso

C ualquier sustancia viva, como el ser humano, tiene la facultad de reaccionar ante un estímulo del exterior, y cada grupo de células que la componen está especializado en una función determinada: reproducción, digestión, respiración... Por tanto, nuestro organismo, debido a su complejidad, necesita un mecanismo que regule los distintos órganos y sistemas entre sí, y que facilite el intercambio del organismo con el medio: el sistema nervioso.

El sistema nervioso se compone de un conjunto de células, las **neuronas**, que se interconectan mediante las prolongaciones de que van provistas, las dendritas o axones. Así se forma un complejo entramado, a modo de circuitos impresos de un ordenador, que transmite las órdenes del encéfalo (sistema nervioso central) a los músculos esqueléticos (sistema periférico cerebroespinal) y regula de modo automático el funcionamiento de los músculos involuntarios (sistema periférico autónomo).

| SISTEMA NERVIOSO CENTRAL | ENCÉFALO |
| | MÉDULA ESPINAL |

SISTEMA NERVIOSO

SISTEMA NERVIOSO PERIFÉRICO	SISTEMA NERVIOSO CEREBROESPINAL O SOMÁTICO (VOLUNTARIO)	
	SISTEMA NERVIOSO AUTÓNOMO O VEGETATIVO (INVOLUNTARIO)	SIMPÁTICO (excita el cuerpo y moviliza sus energías)
		PARASIMPÁTICO (calma al cuerpo y conserva su energía)

encéfalo

Parte del sistema nervioso central que se encuentra en el interior del cráneo. Se compone de diversos órganos: el cerebro, el cerebelo, la protuberancia y el bulbo raquídeo.

médula espinal

Constituye la red de distribución del sistema nervioso central. Se encuentra situada en el interior de la columna vertebral y de ella salen todos los nervios que forman el sistema nervioso periférico.

Cada hemisferio cerebral dirige la mitad contraria del cuerpo porque las vías nerviosas se entrecruzan al pasar por el bulbo raquídeo. Así, en las personas zurdas «domina» el hemisferio derecho, lo que les permite escribir y utilizar con mayor precisión la mano izquierda.

Un adulto cuenta con unos 75 km de nervios distribuidos por todo el cuerpo. Las señales eléctricas los atraviesan a una velocidad superior a los 400 km/h.

sistema nervioso autónomo o vegetativo

Regula la actividad interna del organismo, por lo que su funcionamiento no depende de nuestra voluntad. Ejerce su labor a través de dos sistemas que armonizan las funciones de los distintos órganos: el simpático y el parasimpático.

nervios periféricos

Haces o grupos de fibras que transmiten los impulsos nerviosos. Pueden ser sensitivos, si llevan sensaciones y estímulos de todo el cuerpo al sistema nervioso central, o motores, cuando llevan las órdenes de los centros nerviosos a todo el organismo.

SISTEMA NERVIOSO

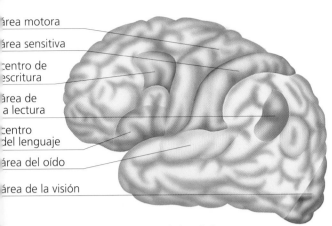

área motora
área sensitiva
centro de escritura
área de la lectura
centro del lenguaje
área del oído
área de la visión

El pensamiento y el habla

El cerebro dispone de centros nerviosos que también controlan las facultades propiamente humanas: la inteligencia, el habla, la memoria, etc. Puede sorprenderle saber que estas importantes funciones no dependen de toda la masa cerebral, de apenas 1,5 kg de peso: sólo en la corteza cerebral, compuesta por sustancia gris, llegan los estímulos que transmiten las vías nerviosas y residen las facultades humanas. Esta sustancia, de sólo 1,5 a 4,5 mm de espesor, cuenta con más de 10 000 millones de neuronas, una cantidad asombrosa pero que únicamente representa el 10 % del total de células existentes en el encéfalo.

Las **áreas sensitiva** y **motora** de los músculos voluntarios se encuentran en los lóbulos parietal y frontal, respectivamente.

Los **centros nerviosos de los sentidos** se localizan en lóbulos concretos, y junto a cada uno de ellos existe un archivo o **centro de la memoria**: por ejemplo, el centro de la memoria visual podrías compararlo con un archivo fotográfico, en el que existe una ficha con la imagen de cada objeto que conocemos y su nombre.

Algunas facultades intelectuales se localizan en los lóbulos frontales, y otras no tienen localización exacta. El **pensamiento** y el **habla**, es decir, la capacidad de convertir ideas en palabras, son exclusivos de los seres humanos.

El **centro del lenguaje** se encuentra en el hemisferio izquierdo del cerebro, y es en este centro donde se forma la idea que cada palabra expresa. Otros centros cercanos contienen los «archivos» del significado de las palabras, «buscan» las palabras que precisamos para expresar lo que queremos decir. El siguiente paso es la materialización de la idea a través de los impulsos nerviosos, que hacen actuar los órganos de la fonación (lenguaje hablado) o conducen los músculos del brazo y de la mano (lenguaje escrito).

¿ Sabías que...

...cada especie animal tiene un cerebro distinto?

Nuestra corteza cerebral está mucho más desarrollada que la del resto de animales y posee un mayor número de neuronas, incluso en comparación con el chimpancé.

La sencillez del cerebro se corresponde con el desarrollo evolutivo alcanzado por el animal. De esta manera, los insectos sólo tienen centros nerviosos independientes, pero carecen de un cerebro principal.

En los peces, el encéfalo está formado casi exclusivamente por los centros nerviosos del olfato y del gusto, mientras que, en las aves, el centro de la visión es el de mayor tamaño.

El cerebro de los reptiles, como el del ser humano, también presenta dos hemisferios, pero el más grande es el de los mamíferos. La mayoría de ellos tienen la corteza cerebral lisa, pero en animales más evolucionados, como el chimpancé, se incrementan los pliegues y surcos de la corteza.

¿Has soñado esta noche?

Seguro que sí. Mientras estás durmiendo, el organismo recupera el gasto de energía que has realizado durante el día, los músculos voluntarios se relajan y algunos músculos involuntarios, como los respiratorios, ralentizan su funcionamiento. Sin embargo, el reposo del sistema nervioso sólo es parcial, ya que continúa existiendo actividad cerebral. Esta actividad se traduce en los sueños, que siempre se producen aunque, al despertarte, no puedas recordarlos. El sueño representa una especie de «válvula de escape» de nuestro subconsciente. Es un mecanismo que consta de diferentes etapas, que se suceden en fases de **sueño profundo** y de **sueño ligero**. Es en estas últimas, también llamadas **sueño REM**, cuando soñamos: si dormimos ocho horas, soñamos durante cuatro o cinco fases de 15 o 20 minutos cada una.

Movimientos voluntarios y actos reflejos

Gran parte de la actividad del sistema nervioso es automática o refleja, por ejemplo, cuando alguien nos pellizca el brazo. El pellizco estimula los receptores sensitivos de la piel y un nervio transmite el impulso a la médula espinal. Las neuronas devuelven el mensaje, a través de nervios motores, a los músculos del brazo, que se contraen y hacen que lo apartemos inmediatamente.

Este **proceso reflejo** o **arco** es consecuencia de que el impulso nervioso captado por los receptores sensitivos de la piel no se dirige a la corteza cerebral para que ésta dé una respuesta, sino que su trayecto es mucho más corto: hacia la médula espinal.

Por el contrario, la **actividad voluntaria** sí tiene su origen en diferentes partes de la corteza cerebral, las áreas motoras. De estas áreas parten los impulsos, a través de la médula espinal y los nervios motores, hacia los músculos.

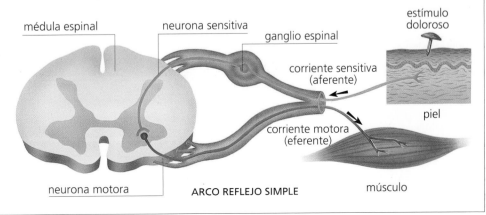

médula espinal
neurona sensitiva
ganglio espinal
estímulo doloroso
corriente sensitiva (aferente)
piel
corriente motora (eferente)
neurona motora
ARCO REFLEJO SIMPLE
músculo

Los órganos del sistema nervioso

Encéfalo

El encéfalo es la parte del sistema nervioso central que se encuentra dentro de la cavidad craneal. Está formado por diferentes órganos:

• *Cerebro*: es su parte más voluminosa y ocupa casi todo el cráneo. Lo constituyen dos mitades o **hemisferios**, separados por la **cisura interhemisférica**, y divididos ambos lateralmente por la **cisura de Rolando** y por la **cisura de Silvio**. De esta manera, en el cerebro se distinguen cuatro partes o **lóbulos**: frontal, parietal, temporal y occipital. El cerebro cuenta con diversas capas. La **corteza cerebral** o **sustancia gris** es la más externa, formada por los cuerpos de las células o neuronas. La **sustancia blanca** constituye el resto del tejido cerebral y se compone de dendritas o prolongaciones de las células. El **cuerpo calloso**, ubicado en la parte interna, entre los dos hemisferios, lo forman numerosas vías nerviosas. Finalmente, los **ventrículos cerebrales** son cuatro cavidades intercomunicadas por las que circula líquido cefalorraquídeo.

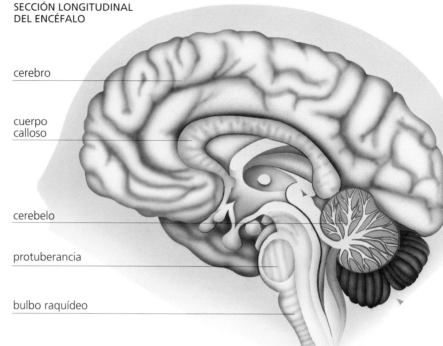

cerebro

cuerpo calloso

cerebelo

protuberancia

bulbo raquídeo

• *Cerebelo*: es un pequeño órgano situado debajo del lóbulo occipital del cerebro. Básicamente, el cerebelo se encarga de coordinar el **equilibrio** y los movimientos del **aparato locomotor**.

• *Protuberancia*: también se ubica debajo del lóbulo occipital del cerebro, por delante del cerebelo. Actúa como estación de transmisión de las **vías sensitivas** y de las **vías motoras**.

• *Bulbo raquídeo*: es una prolongación de la protuberancia y conecta directamente con la médula espinal. Regula importantes funciones involuntarias del organismo a través del **centro respiratorio** (frecuencia de la respiración), del **centro vasomotor** (contracción y dilatación de los vasos sanguíneos) y del **centro del vómito**.

Debido a su gran importancia, el encéfalo está muy bien protegido.

Además del cráneo, que constituye una sólida estructura ósea, cuenta con tres membranas muy delgadas o **meninges**: la duramadre, la aracnoides y la piamadre, que evitan el contacto directo con los huesos del cráneo. Los ventrículos cerebrales también segregan **líquido cefalorraquídeo**, que sirve para amortiguar posibles golpes en la cabeza.

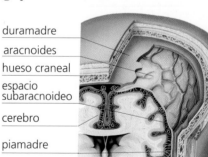

duramadre

aracnoides

hueso craneal

espacio subaracnoideo

cerebro

piamadre

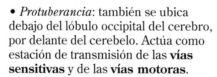

hemisferios

cisura interhemisférica

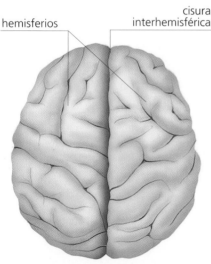

VISTA SUPERIOR DEL ENCÉFALO

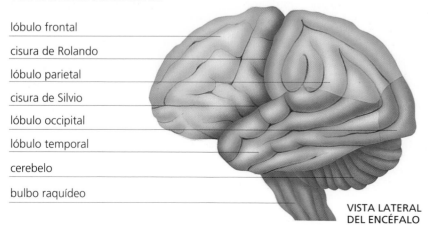

lóbulo frontal

cisura de Rolando

lóbulo parietal

cisura de Silvio

lóbulo occipital

lóbulo temporal

cerebelo

bulbo raquídeo

VISTA LATERAL DEL ENCÉFALO

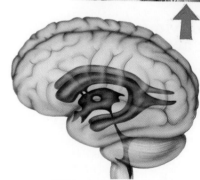

El cerebro, que se compone de agua en un 80 %, supone aproximadamente 1/50 del peso total del cuerpo, es decir, un 2 %, pero utiliza más de la quinta parte de la energía del organismo.

Médula espinal

La médula espinal forma, junto con el encéfalo, el sistema nervioso central y constituye su vía de comunicación al extenderse desde el bulbo raquídeo hasta las vértebras lumbares a través de la columna vertebral.

Básicamente, su tejido se compone de **células nerviosas** o **neuronas**, que cuentan con prolongaciones que las comunican con otras neuronas, formando las vías y los centros nerviosos, y de **fibras nerviosas**, prolongaciones de las células que salen de la médula espinal y pasan por los orificios intervertebrales.

La médula espinal presenta un doble sentido de circulación: la **circulación sensitiva** conduce estímulos hacia el encéfalo, y la **circulación motora** transmite las órdenes del encéfalo, a través de las fibras nerviosas, a todo el organismo.

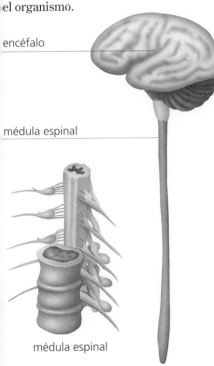

encéfalo

médula espinal

médula espinal

sustancia blanca　　　sustancia gris

surco

SECCIÓN DE
LA MÉDULA

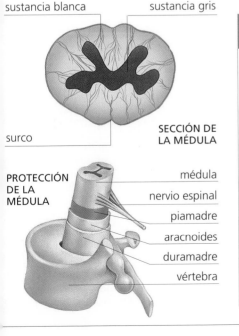

PROTECCIÓN
DE LA
MÉDULA

médula

nervio espinal

piamadre

aracnoides

duramadre

vértebra

Neuronas: chips prodigiosos

El tejido que forma el encéfalo y la médula espinal se compone de células nerviosas o **neuronas**, que cuentan con un cuerpo central, el **soma**, y unas prolongaciones o raíces, las **dendritas**, en un número muy variable. Sólo una fibra de cada neurona, el **axón**, es más larga y gruesa que las otras. Cada dendrita está conectada con otra dendrita de una célula nerviosa colocada a su lado, o con el axón de una célula situada más lejos. De esta manera se constituyen extensas ramificaciones nerviosas: es un complejo entramado, parecido a una computadora, en el cual las neuronas representan los chips o circuitos impresos.

En el cerebro, los cuerpos de las neuronas componen la corteza o sustancia gris, mientras que los axones forman el tejido de la sustancia blanca. En la médula espinal, es la sustancia blanca, formada por las prolongaciones de las neuronas, la que se encuentra en la parte más exterior.

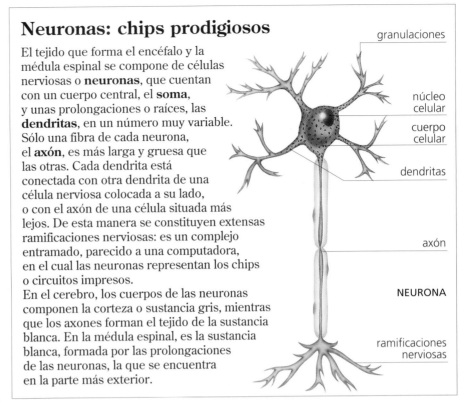

granulaciones

núcleo
celular

cuerpo
celular

dendritas

axón

NEURONA

ramificaciones
nerviosas

¿Por qué sentimos dolor?

Sentimos dolor porque ésta es una señal de alarma que nuestro organismo pone en marcha para advertirnos de que algo no funciona correctamente.

La sensibilidad al dolor se relaciona con los nervios sensoriales del sistema nervioso cerebroespinal, y en menor medida con los nervios del sistema autónomo o vegetativo. Por tanto, algunas zonas del cuerpo, como la piel, son más sensibles que otras, como el hígado.

Las emociones intensas pueden incluso hacer desviar la atención consciente de los estímulos dolorosos.

Es lo que suele suceder en los accidentes de tráfico, que sólo se siente dolor después de pasar cierto tiempo, cuando la conciencia ha superado la sorpresa o el miedo iniciales.

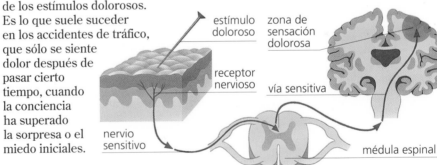

estímulo
doloroso

zona de
sensación
dolorosa

receptor
nervioso

vía sensitiva

nervio
sensitivo

médula espinal

Prevención y salud

«**M**ente sana en cuerpo sano». Este proverbio del escritor latino Juvenal resume perfectamente el hecho de que, al hablar de salud, no sólo hay que pensar en la salud física, sino que el concepto es mucho más amplio, ya que abarca la salud psíquica o mental.

De la misma manera que los músculos se fatigan al realizar un ejercicio físico intenso, también el sistema nervioso cuenta con su propio límite de resistencia. En ocasiones, se somete el sistema nervioso a una tensión extra, por ejemplo, cuando efectúas un esfuerzo intelectual superior al normal en época de exámenes. Esta fatiga nerviosa o estrés se traduce en la imposibilidad de concentrarse, en la lentitud del trabajo y en las sensaciones de tristeza y depresión.

Este estado de fatiga del sistema nervioso puede evitarse, o por lo menos aminorarse, realizando ejercicio físico moderado y durmiendo las horas suficientes. También es útil distraerse después del trabajo, alternar las diferentes actividades intelectuales e intentar resolver los problemas uno después de otro, y no todos de golpe.

Sistema nervioso cerebroespinal

Es la parte del sistema nervioso periférico que conecta el sistema nervioso central con los órganos de los sentidos y con los músculos voluntarios. En él existen dos grupos distintos de nervios: los nervios craneales y los nervios espinales.

Los **nervios craneales** son 12 pares que salen del encéfalo y se dirigen a diversos órganos de la cabeza, excepto uno que va al corazón y a la cavidad abdominal. Estos nervios tienen funciones sensitivas, motoras o mixtas:

• *I par. Nervio olfatorio*: llevan al cerebro las sensaciones olfativas desde la mucosa de las fosas nasales.
• *II par. Nervio óptico*: se dirigen a la retina de los ojos y conducen las sensaciones visuales.
• *III par. Nervio motor ocular común*: se responsabilizan de algunos movimientos del globo ocular.
• *IV par. Nervio patético*: originan el movimiento de un músculo del ojo.
• *V par. Nervio trigémino*: proporcionan sensibilidad a toda la cara y actúan sobre los músculos de la masticación.
• *VI par. Nervio motor ocular externo*: hacen girar el globo ocular hacia el exterior.
• *VII par. Nervio facial*: permiten la acción mímica de la cara y recogen la sensibilidad de la parte inferior de la lengua.
• *VIII par. Nervio auditivo* o *vestíbulo-coclear*: transmiten las señales percibidas por el oído medio (sonido) y el oído interno (equilibrio).
• *IX par. Nervio glosofaríngeo*: actúan sobre los músculos de la faringe y conducen los estímulos de la parte posterior de la lengua.
• *X par. Nervio vago*: se ramifican por las vísceras del tórax y del abdomen, y regulan las funciones digestivas, circulatorias y respiratorias.
• *XI par. Nervio espinal*: originan el movimiento de algunos músculos del cuello.
• *XII par. Nervio hipogloso*: facilitan los movimientos de la fonación, deglución y masticación.

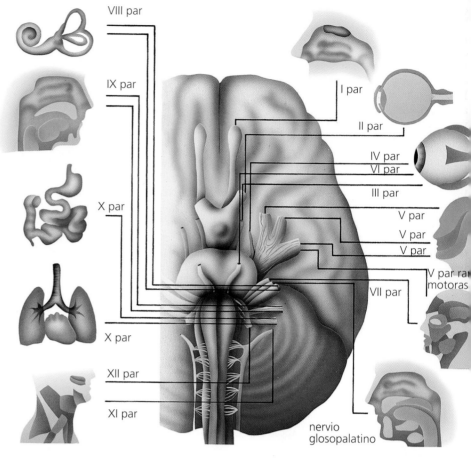

VIII par
IX par
X par
X par
XII par
XI par

I par
II par
IV par
VI par
III par
V par
V par
V par
V par ramotoras
VII par

nervio glosopalatino

Los **nervios espinales** o **raquídeos** son 31 pares que salen de la médula espinal y se responsabilizan del resto del sistema nervioso periférico y, también, de una parte del autónomo. Estos nervios mixtos nacen en la sustancia gris de la médula, que, a diferencia del encéfalo, está en su parte más interior, rodeada por la sustancia blanca.
Los nervios forman dos raíces bien diferenciadas: la **raíz ventral** o **anterior** la constituyen fibras motoras; la **raíz dorsal** o **posterior** la forman fibras sensitivas. Posteriormente, después de cruzar los orificos intervertebrales, las dos raíces se unen

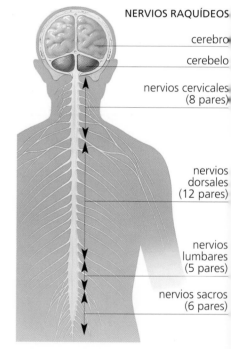

NERVIOS RAQUÍDEOS
cerebro
cerebelo
nervios cervicales (8 pares)
nervios dorsales (12 pares)
nervios lumbares (5 pares)
nervios sacros (6 pares)

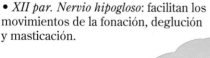

nervio raquídeo
raíz posterior
raíz anterior

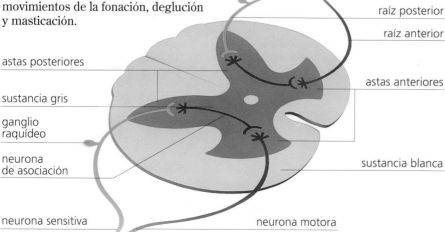

astas posteriores
sustancia gris
ganglio raquídeo
neurona de asociación
neurona sensitiva

astas anteriores
sustancia blanca
neurona motora

en un solo nervio raquídeo y vuelven a ramificarse. Una **rama ventral**, que se divide en miles de ramificaciones, se dirige al cuello, los brazos, la parte delantera del tórax y las piernas.
La **rama dorsal** gira alrededor de la columna vertebral y se dirige hacia la espalda.
Varios nervios espinales suelen viajar juntos hasta la parte del cuerpo que les corresponde, formando unas apretadas redes llamadas **plexos**.

Sistema nervioso autónomo

El sistema nervioso autónomo o vegetativo regula la actividad interna del organismo, como la circulación de la sangre, la respiración o la digestión. Es involuntario porque su acción no depende de nuestra voluntad, pero actúa coordinadamente con el sistema nervioso cerebroespinal o voluntario. El sistema nervioso autónomo comienza en una serie de **ganglios** o gruesos agrupamientos de neuronas, situados a ambos lados de la columna vertebral, y su acción se realiza a través de sus dos componentes: el sistema simpático y el parasimpático.

El **sistema simpático** tiene la misión de activar el funcionamiento de los órganos del cuerpo y estimular diversas reacciones en casos de emergencia o de gasto energético: aumenta el metabolismo, incrementa el riego sanguíneo al cerebro, dilata los bronquios y las pupilas, aumenta la sudoración y el ritmo cardíaco, eleva la presión sanguínea con la constricción de las arterias y estimula las glándulas suprarrenales.

El **sistema parasimpático** tiene una función retardadora, opuesta a la del simpático: el organismo lo utiliza en situaciones de reposo y relajación, ya que es un sistema ahorrador de energía. Interviene en la digestión, de ahí la sensación de somnolencia que se sufre después de comer.

El sistema parasimpático se encarga de disminuir el ritmo cardíaco, contraer los conductos respiratorios, disminuir la presión arterial, aumentar la secreción nasal, de saliva y lacrimal, y aumentar los movimientos peristálticos y las secreciones intestinales.

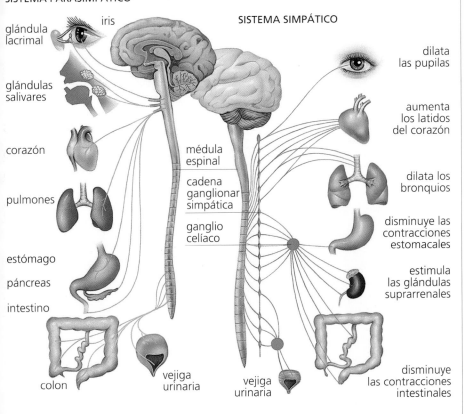

SISTEMA PARASIMPÁTICO

glándula lacrimal
iris
glándulas salivares
corazón
pulmones
estómago
páncreas
intestino
colon
vejiga urinaria

SISTEMA SIMPÁTICO

médula espinal
cadena ganglionar simpática
ganglio celíaco
vejiga urinaria

dilata las pupilas
aumenta los latidos del corazón
dilata los bronquios
disminuye las contracciones estomacales
estimula las glándulas suprarrenales
disminuye las contracciones intestinales

Un «salto» químico

Los nervios, que se extienden a partir de la médula espinal, están formados por haces o grupos de fibras nerviosas muy delgadas. Su estructura es muy compleja y, básicamente, se trata de un axón o **cilindroeje**, que actúa de «conductor» del impulso nervioso y que está aislado por tres envolturas distintas: la **membrana de mielina**, el **neurilema** y la **membrana externa**. El impulso nervioso viaja a través de los axones de las neuronas. Su extremo se halla muy cerca de la dendrita de una neurona próxima, pero no la llega a tocar. Por tanto, el impulso nervioso ha de «saltar» de una neurona a otra mediante un sistema de conexión nerviosa llamado **sinapsis**: se cree que las neuronas contienen una sustancia que, al transmitirse el impulso, se libera y actúa como intermediario químico, excitando la dendrita de la neurona receptora.

Los nervios del sistema periférico son de sentido único: los **sensitivos** transmiten las sensaciones del cuerpo hacia los centros nerviosos, y los **motores** conducen las órdenes del encéfalo a todo el organismo. También existen nervios **mixtos**.

Las terminaciones de los nervios sensitivos se encuentran, sobre todo, en los órganos de los sentidos y en la piel, y las neuronas motoras de los nervios de movimiento residen en el encéfalo y en la médula espinal.

axón o cilindroeje
membrana de mielina
neurilema
membrana externa
nodo de Ranvier

PARTES DE UNA FIBRA NERVIOSA

La memoria, base de nuestra experiencia

La memoria es una de las principales funciones del cerebro. Sin ella, no podríamos aprender nada ni obtendríamos provecho alguno de la experiencia.

La memoria no se localiza en una zona concreta de la corteza cerebral: lo que aprendemos se distribuye en infinidad de neuronas interrelacionadas. Se cree que la memoria reside en el núcleo de las neuronas, que no experimentan cambio alguno cuando una información se almacena en la **memoria a corto plazo** (un número de teléfono, una lección que estamos estudiando, etc.), pero que sufren unas transformaciones químicas cuando se archiva en la **memoria a largo plazo** (experiencias vividas, recuerdos, etc.). Existe una relación entre la memoria y las emociones, ya que solemos recordar mejor las cosas que nos gustan o, por el contrario, las que nos resultan muy desagradables. El mecanismo del **olvido** actúa de la misma forma: funciona como una defensa que borra lo que nos causa miedo o angustia.

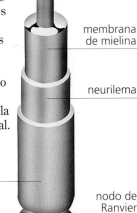

En 1974, un birmano recitó de memoria 16 000 páginas de textos religiosos budistas. Y en un alarde de memoria visual, un inglés llegó a memorizar el orden de seis mazos de cartas, unas 312 cartas mezcladas en total, tras mirarlas ¡una sola vez! Sólo cometió 24 errores.

Los sentidos

L os órganos de los sentidos (ojos, oídos, nariz, lengua y piel) nos ponen en contacto con el mundo exterior: gracias a ellos conocemos las propiedades físicas de los cuerpos y las condiciones del medio que nos rodea. También tienen una misión protectora, ya que nos advierten de los peligros que nos amenazan.

Las impresiones captadas por los receptores de los órganos de los sentidos se transmiten, a través de los nervios sensitivos, al cerebro, que percibe la información que le llega y la identifica (sensación). Los centros nerviosos elaboran entonces una orden de respuesta que viaja, a través de los nervios motores, hasta los distintos órganos encargados de ejecutarla.

Los receptores se agrupan en unas zonas concretas y dan lugar a los diferentes sentidos: la vista, el oído (que incluye el sentido del equilibrio), el olfato, el gusto y el tacto.

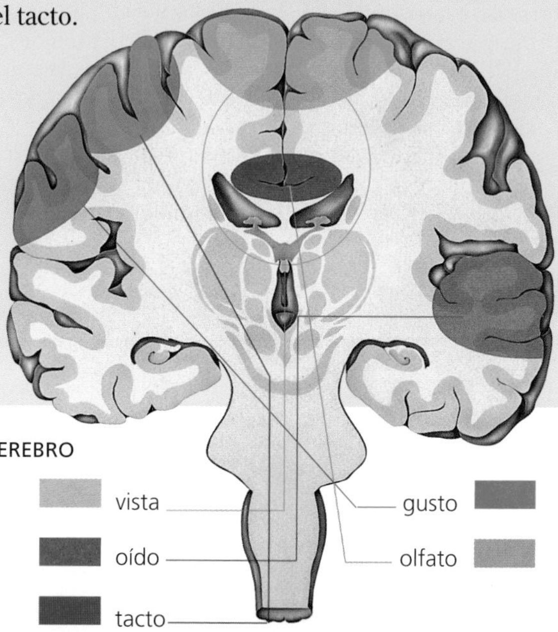

CENTROS DE LOS
SENTIDOS EN EL CEREBRO

vista   gusto

oído   olfato

tacto

esclerótica

Membrana exterior del globo ocular, la que le da forma y consistencia.

coroides

Membrana intermedia del globo ocular, profusamente irrigada por vasos sanguíneos.

retina

Membrana más interna del ojo y la que contiene sus células fotosensibles: los conos y los bastones.

**mácula
o mancha amarilla**

Zona más sensible de la retina.

papila óptica

Lugar donde el nervio óptico se une a la retina y donde se encuentra el punto ciego.

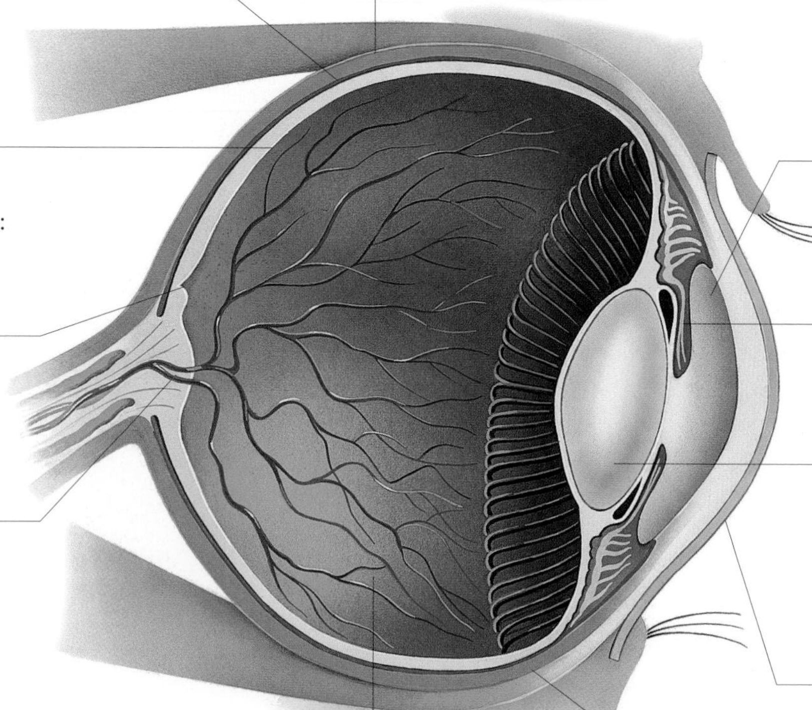

humor acuoso

Líquido transparente, que ocupa las cámaras anterior y posterior del ojo.

iris

Disco de color, cuyas células musculares abren o cierran la pupila.

cristalino

Cuerpo sólido, elástico y transparente, modifica su curvatura en función de la distancia a la que se encuentra una determinada imagen.

córnea

Disco transparente situado en la parte anterior del globo ocular.

humor vítreo

Gel transparente que ocupa la zona situada detrás del cristalino y limitada por la retina.

conjuntiva

Membrana que tapiza la cara interior de los párpados y la esclerótica.

SECCIÓN DEL OJO

LENGUA

papilas caliciformes

Receptores gustativos situados en la lengua en forma de V.

papilas filiformes

Receptores sensibles al tacto y a los cambios de temperatura, que ocupan el dorso lingual.

papilas fungiformes

Receptores gustativos situados en la punta, los bordes y el dorso lingual.

¿ Sabías que...

...los sistemas visuales se adaptan a las necesidades de cada especie?

Los fotorreceptores de las ranas y de los sapos generan hasta cuatro tipos distintos de impulsos: diferencian los objetos que no tienen movimiento, los que se mueven pero no afectan el nivel de iluminación que el animal percibe, los objetos que se acercan, y los objetos en movimiento que alteran la iluminación pero no se acercan. Con este dispositivo, el animal podría morirse de inanición aunque estuviera rodeado de abundantes alimentos si éstos permanecieran quietos. Distingue fácilmente los colores, pero apenas aprecia los relieves. Los insectos, como el tábano, tienen unos ojos compuestos por miles de pequeños ojos simples, pero unidos: los ommatidios. No pueden moverse y, como se disponen en forma de bola, miran en todas las direcciones con un ángulo diferente. Cada uno de estos ojos simples envía una porción de imagen al cerebro, que forma la imagen entera. La solla es un pez que nada por el fondo con el cuerpo recostado sobre un lado, lo que le ofrece un camuflaje perfecto. Cuando tiene algunos meses de vida, realiza una metamorfosis extraordinaria: uno de sus ojos se desplaza desde la cabeza para ponerse en el mismo lado del otro ojo.

SECCIÓN DEL OÍDO

tímpano

Lámina fina y elástica, ubicada en el oído medio, que transmite los movimientos vibratorios a la ventana oval.

apófisis lenticular

Articulación del yunque con el estribo.

ventana oval

Hueco del oído interno con una membrana que reproduce el movimiento vibratorio del tímpano.

caracol o cóclea

Conducto en forma de espiral que se encuentra en el oído interno.

nervio auditivo

Fibras nerviosas de distinta longitud, las cuales presentan unas células ciliadas que son los auténticos receptores auditivos.

trompa de Eustaquio

Conducto que comunica el oído medio con la faringe.

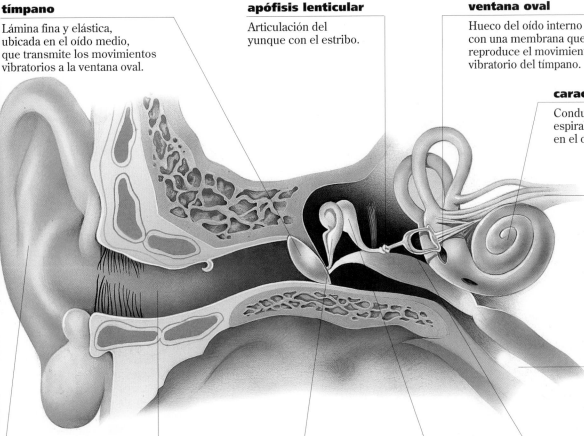

oreja o pabellón auricular

Cartílago recubierto de piel que forma parte del oído externo y sobresale de la superficie de la cabeza.

conducto auditivo externo

Cavidad que comunica el pabellón auricular con el tímpano.

martillo

Hueso que se mueve empujado por el tímpano y que se articula con el yunque y el estribo.

yunque

Hueso que transmite el movimiento mecánico del martillo.

estribo

Hueso que transmite el movimiento mecánico del yunque.

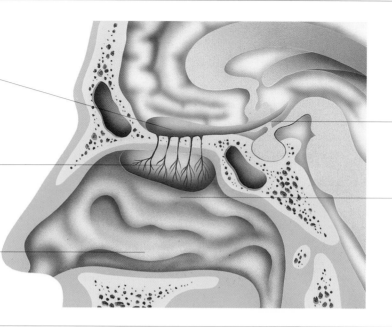

bulbo olfatorio

Membrana que recoge
los impulsos de
las células olfatorias.

ramificaciones nerviosas

Nervios que transmiten
los impulsos de las
células olfatorias al bulbo
olfatorio.

pituitaria roja

Mucosa que recubre la
parte inferior de las fosas
nasales y calienta el aire
inspirado.

nervio olfatorio

Nervio que transmite los
impulsos olfatorios hasta
la corteza cerebral.

pituitaria amarilla

Mucosa que recubre
la superficie superior
de las fosas nasales
y contiene las células
olfatorias.

SECCIÓN DE LA PIEL

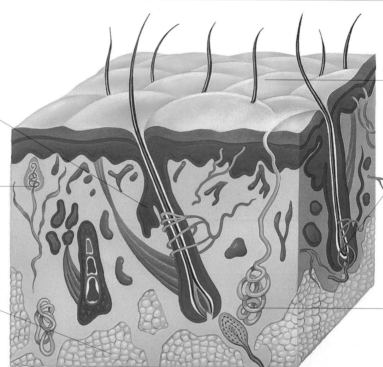

glándulas sebáceas

Glándulas productoras
de grasa.

corpúsculo del tacto

Receptor del sentido
del tacto que se encuentra
en la capa papilar, la más
superficial de la dermis.

tejido adiposo

Grasa que compone
el tejido subcutáneo
y sirve, por ejemplo, para
aislar el cuerpo del frío.

superficie de la piel o capa córnea

Capa más superficial
de la epidermis, formada
por células secas.

folículo piloso

Especie de bolsa,
ubicada en el tejido
subcutáneo, en la cual
crece un pelo.

glándula sudorípara

Glándulas que se
encuentran en el tejido
subcutáneo y segregan
el sudor.

Una persona normal suda unos 0,3 l por día, pero en condiciones de calor y humedad puede llegar a perder unos 2,5 l. Si a una persona se le cubre una tercera parte de la piel con una sustancia que tape los poros, esta persona morirá al no poder eliminar sustancias nocivas mediante el sudor.

El ojo humano es tan sensible que, en una noche serena y sin luna, podría apreciar la luz de una cerilla a 80 km de distancia.

El color de la piel

Los encargados de «dar» color a la piel son los melanocitos, unas células situadas entre la dermis y la epidermis que producen **melanina**, un pigmento oscuro que filtra los rayos ultravioleta del sol y evita quemaduras en la piel. La mayor o menor cantidad de melanina determina el color de la piel, por lo que es más abundante en las personas de raza negra y en las de raza blanca que habitan en zonas con mayor exposición solar. La producción de melanina también explica las variaciones en el color de la piel según las estaciones del año: en verano te «pones moreno» porque permaneces más tiempo al sol, pero las personas de piel muy clara y cabellos rubios o pelirrojos, y las que sufren albinismo (cuando los melanocitos casi no producen melanina), no se broncean y su piel enrojece con facilidad, por lo que han de tomar mayores precauciones para evitar quemaduras solares.

Los **lunares** que puedes tener en alguna zona concreta de la piel sólo se deben a una acumulación de melanocitos, cuya melanina origina una mancha de color oscuro.

Las **pecas** también aparecen por una acumulación de melanina bajo la piel, pero son más pequeñas y salen agrupadas, por lo general, en la cara. Lógicamente, son más numerosas y más oscuras en verano, cuando los rayos solares estimulan la producción de melanina.

Los órganos de la vista

Ojo

La visión se realiza a través de los ojos, que se ubican en las cavidades orbitarias de la cara. Cuentan con unas células fotorreceptoras, es decir, sensibles a la luz, que al ser estimuladas por esta mandan impulsos al cerebro para que los interprete. Cada ojo consta de dos partes: el globo ocular y los órganos anexos.

El **globo ocular** es un órgano casi esférico, de unos 24 mm de diámetro, constituido por tres membranas: la esclerótica, la coroides y la retina. La **esclerótica** es la capa fibrosa del ojo y la más externa. La zona central de su parte anterior se hace transparente y se abomba para formar la **córnea**, que permite el paso de los rayos luminosos, mientras que en el área posterior se halla un orificio que da paso al **nervio óptico**.

La **coroides** es la capa intermedia y presenta abundantes células pigmentarias y vasos sanguíneos. Interviene en la nutrición del ojo y en la formación de los humores acuoso y vítreo. En su parte anterior se halla el **iris**, un disco de color variable con un orificio central, la **pupila**.

La **retina**, la membrana más interna, recibe las impresiones luminosas y las transmite al cerebro. Está constituida por **conos**, unas células sensibles a la intensidad de la luz y a la visión de los colores, y por **bastones**, células que detectan el blanco y el negro y los distintos tonos del gris. En la retina se distinguen la **mácula** o **mancha amarilla**, una zona con gran abundancia de conos, y la **papila óptica**, donde se encuentra el **punto ciego**, lugar donde el nervio óptico se une a la retina y que está libre de células fotosensibles, por lo que carece de visión.

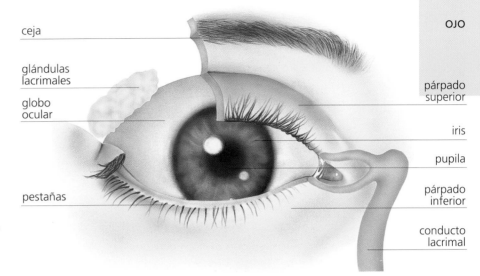

ceja

glándulas lacrimales

globo ocular

pestañas

OJO

párpado superior

iris

pupila

párpado inferior

conducto lacrimal

El globo ocular también presenta una serie de medios transparentes a través de los cuales pasa la luz, como el **humor acuoso** y el **cuerpo vítreo**. Entre ambos se encuentra el **cristalino**, una especie de lente biconvexa (más gruesa en el centro que en los bordes) que enfoca los rayos luminosos de modo que formen una imagen perfecta sobre la retina. El ojo es un órgano muy delicado y, por tanto, necesita unos elementos que lo protejan y faciliten su movimiento. Los **párpados** son dos pliegues, uno superior y otro inferior, que se sitúan por delante de las órbitas y en cuyo borde se disponen las **pestañas**.

La **conjuntiva**, una membrana que recubre la cara dorsal de los párpados y la cara anterior del globo ocular, cuenta con una importante red linfática que protege el ojo de las infecciones. Las glándulas y las vías lacrimales forman el **aparato lacrimal**. La misión de las lágrimas es facilitar el deslizamiento de los párpados y humedecer la parte del globo ocular que permanece en contacto con el aire. Las **cejas** son dos prominencias arqueadas, provistas de pelos, que desvían el sudor de la frente hacia las sienes.

El movimiento de los ojos, regulado por el cerebro, es sincrónico y se realiza por la acción de los siete **músculos extrínsecos:** recto superior, recto inferior, recto interno, recto externo, oblicuo mayor, oblicuo menor y elevador del párpado superior.

MÚSCULOS EXTRÍNSECOS DEL GLOBO OCULAR

oblicuo mayor

elevador del párpado

recto superior

recto interno

recto externo

recto inferior

oblicuo menor

músculo orbicular

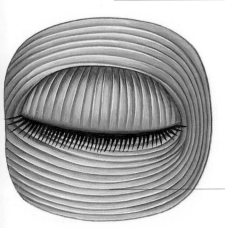

Los músculos del párpado se tensan unas 20 000 veces al día para humedecer y limpiar los ojos. Esto significa que no podemos ver durante media hora al día porque es el tiempo de parpadeo.

La visión

Fotografía ocular

El ojo funciona como una cámara fotográfica: mediante unos músculos dispuestos en el iris, la pupila puede hacerse más grande o más pequeña para regular la cantidad de luz que penetra en el ojo.
El cristalino modifica su curvatura en función de la distancia a la que se halla el objeto que se está mirando. Este dispositivo automático de enfoque, denominado **acomodación del ojo**, permite que en la retina se forme una imagen nítida de dicho objeto, ya que la distancia entre el cristalino y la retina no puede cambiar. Un ojo normal sólo se acomoda para ver objetos situados a menos de 60 m y más de 10 cm de distancia, ya que a una distancia menor sólo se obtiene una imagen imprecisa.
La retina está formada por neuronas que inervan una capa de bastones y

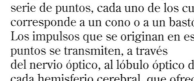

luz — imagen invertida — reproducción en el cerebro — transmisión por el nervio óptico

conos. Los rayos de luz que pasan a través del cristalino provocan una imagen en la retina formada por una serie de puntos, cada uno de los cuales corresponde a un cono o a un bastón. Los impulsos que se originan en estos puntos se transmiten, a través del nervio óptico, al lóbulo óptico de cada hemisferio cerebral, que ofrecen una única interpretación visual.

De la luz a la oscuridad

Los **conos** y los **bastones** son los receptores de la retina que convierten la energía radiante de la luz en impulsos neuronales. Este proceso bioquímico es sumamente complejo y se basa en una complicadísima secuencia de reacciones químicas encadenadas.
Los bastones poseen un fotopigmento, la **rodopsina**, que se compone de dos partes moleculares: un derivado de la vitamina A, el **retineno**, y una proteína, la **opsina**. La luz separa el retineno de la opsina y, en este proceso, la energía luminosa se convierte, primero, en energía química, y posteriormente, en los impulsos generados por las fibras nerviosas. Esta complejidad puedes apreciarla en la adaptación a la oscuridad, ya que la retina es capaz de acomodar su sensibilidad a unas 100 000 gradaciones de luz distintas. Cuando pasas de una luz brillante a la oscuridad, los conos se adaptan en unos 10 minutos, mientras que los bastones tardan unos 20-25 minutos en conseguir un 90 % de su adaptación. Por el contrario, si pasas de la oscuridad a la luz, las alteraciones transcurren en unos pocos minutos.

Visión en 3-D

En diversas ocasiones te habrás preguntado por qué tenemos una visión binocular, por qué vemos con dos ojos al mismo tiempo: dos ojos permiten aumentar el ángulo de visión y ayudan a tener sensación de relieve y juzgar la profundidad; es decir, vemos en tres dimensiones.
Los ojos están separados unos 6 cm, por lo que a cada retina llega una imagen o ángulo visual distinto. Es el cerebro el encargado de combinar ambas imágenes y conseguir la impresión de profundidad o relieve (**visión estereoscópica**). Puedes comprobar la influencia de la visión binocular con el siguiente experimento: coloca una cartulina verticalmente sobre la línea AB de la figura y pon la nariz y la frente sobre su borde, de modo que el ojo derecho sólo vea el dibujo de la derecha y el ojo izquierdo sólo vea el de la izquierda. Observarás que las dos figuras geométricas se funden en una sola, un tronco de pirámide en tres dimensiones, visto desde arriba.

A

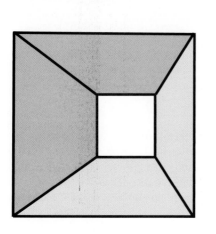
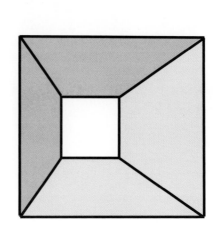

B

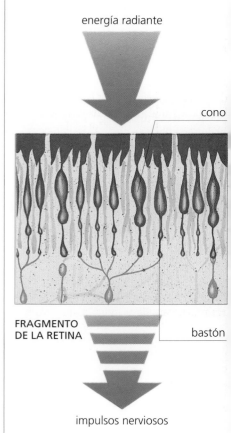

energía radiante

cono

FRAGMENTO DE LA RETINA

bastón

impulsos nerviosos

Punto ciego, punto invisible

Existe un área de la retina, donde se une el nervio óptico, en la cual no hay receptores fotosensibles y no se aprecia la luz que incide sobre esta zona, por lo que no se produce estímulo alguno: es el punto ciego.

Esto se pone fácilmente de manifiesto con un sencillo experimento. Observa el esquema de la figura superior y tapa con la mano tu ojo derecho. Si enfocas el ojo izquierdo para ver la cruz, también verás el círculo negro, pero si mueves el libro hacia adelante o hacia atrás, encontrarás una posición en la cual no apreciarás el punto negro porque, a esa distancia, estará enfocado sobre el punto ciego, y por lo tanto no podrás verlo.

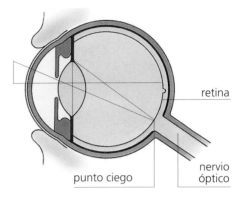

retina

nervio óptico

punto ciego

FORMACIÓN DE LA LUZ BLANCA

colores luz primarios

rojo luz

azul luz

verde luz

La palabra *iris* procede del griego y quiere decir *arco iris*. El pigmento de los ojos acostumbra a estar en relación con el del cabello. Por tanto, las personas de ojos azules (menos pigmento) tiene normalmente el cabello claro, y las de ojos marrones (más pigmento) suelen tener el cabello oscuro.

El milagro del color

Las zonas de la retina sensibles a la luz se componen de más de 125 millones de células, la mayoría de las cuales son bastones y unos 7 millones son conos. Los conos son los detectores del color, los responsables de que podamos apreciar la riqueza cromática del mundo que nos rodea. Se supone que existen tres tipos diferentes de conos, que responden a sendos colores primarios: el rojo, el verde y el azul. Estos **colores primarios**, al combinarse dos a dos en diversas proporciones, forman todos los colores de la naturaleza. Cuando se superponen los tres, originan la luz blanca.

Habrás notado que, cuando anochece, te resulta difícil distinguir los colores y todo adquiere un tono más o menos grisáceo en la penumbra. Esta circunstancia se debe a que los conos sólo pueden actuar si hay luz.

Un número notable de personas sufren **daltonismo**, una enfermedad hereditaria relacionada con un cromosoma, que impide apreciar ciertos colores y combinaciones.

Prevención y salud

Sólo podemos ver si existe una intensidad luminosa comprendida entre un mínimo (oscuridad), para el cual nuestra retina es ciega, y un máximo (deslumbramiento), cuando los bastones se sobreexcitan. Esto quiere decir que la luz puede dañar nuestros ojos tanto por exceso como por defecto.

Una luz demasiado intensa deslumbra y cansa la retina, como ocurre, por ejemplo, cuando estás en la playa en verano. En este caso es aconsejable utilizar gafas oscuras. Además, nunca debes mirar de frente al sol, ya que ello puede producir quemaduras en la retina.

Una luz insuficiente cansa el ojo y provoca unos exagerados esfuerzos de acomodación del cristalino si estás leyendo o escribiendo, lo que puede conducir a una **miopía**. La persona miope forma las imágenes de los objetos delante de la retina, por lo que ha de llevar gafas con lentes bicóncavas o divergentes (de bordes gruesos) para que las imágenes se enfoquen en el lugar correcto.

VISIÓN DE UN OJO MIOPE

CORRECCIÓN DE LA MIOPÍA

lente divergente

Por contra, una persona con **hipermetropía** no ve claramente los objetos cercanos, y para ver los objetos lejanos ha de acomodar el cristalino. La imagen del ojo hipermétrope se forma por detrás de la retina, lo que se corrige con lentes biconvexas, es decir, cristales de bordes delgados.

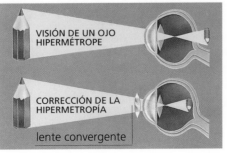

VISIÓN DE UN OJO HIPERMÉTROPE

CORRECCIÓN DE LA HIPERMETROPÍA

lente convergente

Aunque no exista sistema alguno que permita prevenir las anomalías de la visión, hereditarias hasta cierto punto, es posible influir sobre el crecimiento y desarrollo de los ojos desde las edades más tempranas. Por tanto, es recomendable una visita al oftalmólogo incluso antes de empezar a aprender a leer.

Los órganos del oído

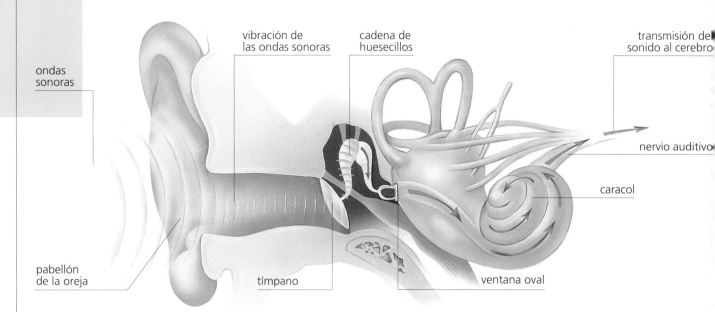

ondas sonoras

vibración de las ondas sonoras

cadena de huesecillos

transmisión del sonido al cerebro

nervio auditivo

caracol

pabellón de la oreja

tímpano

ventana oval

Oído

El oído es el aparato de la audición y del equilibrio. Sus órganos se encargan de la percepción de los sonidos y del mantenimiento del equilibrio. Cada oído consta de tres partes: oído externo, oído medio y oído interno. El **oído externo** tiene la misión de captar los sonidos y llevarlos hacia el tímpano. Comprende la **oreja** o **pabellón auricular**, una estructura cartilaginosa con numerosos pliegues y que sobresale de cada lado de la cabeza, y el **conducto auditivo externo**, que se extiende hasta el oído medio y tiene unas glándulas que segregan cerumen, la cera que se forma en el oído externo y arrastra el polvo y la suciedad al exterior. El **oído medio** es una cavidad ubicada dentro del hueso temporal. Comunica con la faringe a través de la **trompa de Eustaquio** y presenta una cadena

de huesecillos articulados, el **martillo**, el **yunque** y el **estribo**, que transmiten al oído interno, de forma exacta y ampliada, las vibraciones del **tímpano**, una fina membrana circular de 1 cm de diámetro.

CADENA DE HUESECILLOS

yunque

estribo

apófisis lenticular

martillo

En el **oído interno** existe una cavidad en forma de espiral, el **caracol auditivo** o **cóclea**, separada del oído medio por la **ventana oval**. El caracol se divide en dos membranas, la **membrana vestibular** y la **membrana basilar**, divididas a su vez en tres compartimentos llenos de líquido. Sobre las fibras del nervio auditivo, que discurren a lo largo

de la membrana basilar, se asientan unas células ciliadas que constituyen los auténticos receptores auditivos. La audición o sensación sonora se produce a partir de una vibración. Cuando el pabellón auricular recoge las ondas sonoras, éstas se reflejan en sus pliegues y penetran en el conducto auditivo externo hasta que chocan con el tímpano. Esta membrana empieza a vibrar con una determinada frecuencia e intensidad. La cadena de huesecillos del oído medio amplía este movimiento vibratorio y lo transmite a la ventana oval, ya en el oído interno. Aquí, la energía mecánica de las ondas sonoras se transforma en energía eléctrica gracias a que las fibras del nervio auditivo estimulan el **órgano de Corti**, ubicado en el caracol, y transmiten la sensación auditiva al cerebro.

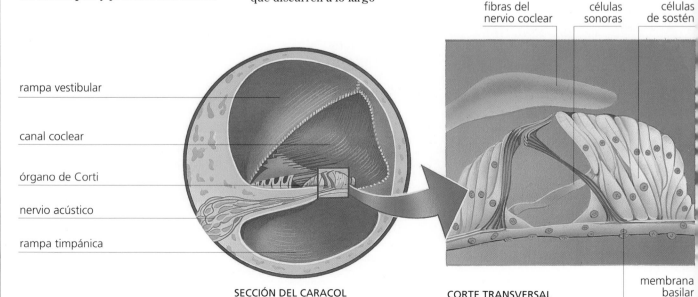

rampa vestibular

canal coclear

órgano de Corti

nervio acústico

rampa timpánica

fibras del nervio coclear

células sonoras

células de sostén

membrana basilar

SECCIÓN DEL CARACOL

CORTE TRANSVERSAL DEL ÓRGANO DE CORTI

Equilibrio: un sentido para no caerse

El sentido del equilibrio, o sea, aquellas sensaciones que nos informan en todo momento de la posición de nuestra cabeza con respecto al espacio tridimensional en que nos movemos, reside en el oído interno.

El **equilibrio dinámico**, el que mantiene nuestro cuerpo en los movimientos de giro y aceleración, es posible gracias a los canales semicirculares del aparato vestibular: el **canal superior**, el **canal posterior** y el **canal externo**. En la **ampolla** o extremo de cada canal se encuentra la **cresta**, provista de finos cilios inervados por un nervio craneal. El movimiento del líquido que contienen los canales, la **endolinfa**, empuja los cilios, cuya torsión representa el estímulo eficaz para la creación del impulso nervioso.

El **equilibrio estático**, el que mantiene el cuerpo cuando permanece quieto o se desplaza de forma rectilínea, se controla desde el **utrículo**, una cámara del aparato vestibular. En su interior se localiza la **mácula**, un conjunto de células ciliadas, y pequeñas masas óseas o calcáreas llamadas **otolitos**. Cuando se altera la posición del cuerpo respecto al campo gravitatorio, los otolitos tuercen los cilios de las células de la mácula, que inician la descarga de impulsos en las neuronas vestibulares.

Una prueba simple para comprobar el correcto funcionamiento del mecanismo del equilibrio consiste en permanecer de pie, con los ojos cerrados y los pies juntos. Si existe alguna deficiencia en los utrículos, el individuo empieza a oscilar de un lado a otro y quizá acabe por caer.

¿ Sabías que...

...los órganos del oído presentan muchas variantes?

El oído, como en el caso de los murciélagos, puede compensar una casi total falta de visión. Estos animales se orientan con sus chillidos: a intervalos muy cortos y regulares emiten ultrasonidos, unas ondas de muy alta frecuencia e imperceptibles para el oído humano. Al reflejarse y volver al animal, le permiten percibir la presencia de obstáculos y cuerpos voladores muy pequeños.

Los órganos del oído pueden adaptarse, en ocasiones, al clima del entorno. Esto ocurre con el zorro del desierto, un animal que sólo pesa 1,5 kg pero tiene unas orejas de 15 cm de largo. Además de poder localizar a sus presas de noche, una superficie tan larga favorece la pérdida de calor y refresca el organismo.

El órgano auditivo de los insectos cuenta con una membrana que vibra al recibir los impactos de las ondas sonoras. Esta vibración se transmite a un cuerpo líquido que, al moverse, arrastra las células ciliares sensitivas.

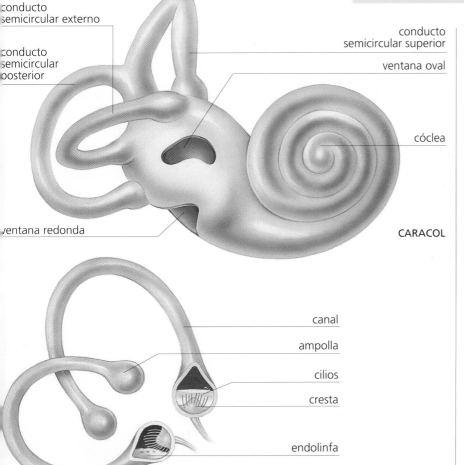

conducto semicircular externo

conducto semicircular posterior

ventana redonda

conducto semicircular superior

ventana oval

cóclea

CARACOL

canal

ampolla

cilios

cresta

endolinfa

Trompa de Eustaquio: un bostezo útil

El único camino que tiene el aire para entrar y salir del oído medio es la trompa de Eustaquio, un conducto que llega hasta la parte posterior de la nariz y se comunica con la faringe. Gracias a esta abertura, la presión del aire que hay en el oído medio se iguala con la presión del exterior, de tal manera que la fuerza del aire sobre el tímpano se equilibra.

Si has viajado en avión, al ganar o perder altura habrás notado que se te «tapan» los oídos. Esto se debe al brusco cambio de presión del exterior, que produce una combadura del tímpano. Entonces, un bostezo o el simple hecho de tragar saliva abre una válvula existente en la trompa de Eustaquio y la presión del oído medio se iguala con la presión del exterior, al mismo tiempo que el tímpano recobra su posición normal y se «destapan» los oídos.

Los humanos, con pocos enemigos, no necesitan un oído muy sensible, y por esto nuestras orejas son planas, pequeñas y con poca movilidad. Sirven esencialmente para captar sonidos procedentes de diversas direcciones

La nota más grave que puede oír el ser humano es un sonido que vibre 20 veces por segundo; la más alta, un silbido agudo que vibre 20 000 veces por segundo.

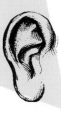

Los órganos del gusto

Lengua

La lengua es un órgano musculoso que, además de su función gustativa, también participa en la deglución y en la articulación de las palabras. Toda su superficie, a excepción de la base, está recubierta por una mucosa, en cuya cara superior se encuentran las **papilas**, los receptores químicos de los estímulos gustativos.

Las papilas se clasifican según su forma. Sólo las **caliciformes**, que se disponen en V, y las **fungiformes**, que se sitúan en la punta, los bordes y el dorso de la lengua, son las que tienen una auténtica función gustativa, ya que son las únicas que poseen **botones** o **corpúsculos gustativos**. Las papilas **filiformes** y **coroliformes** actúan por el tacto y por su sensibilidad a los cambios de temperatura.

Los botones gustativos presentan forma ovoide y están constituidos por unas 5 a 20 **células gustativas**, unas cuantas **células de sostén**, unos pelos o **cilios gustativos** y un pequeño **poro** que se abre a la superficie mucosa de la lengua.

Las papilas recogen cuatro sabores fundamentales: dulce, salado, ácido y amargo, cuya proporción e intensidad sirven al cerebro para reconocer el alimento al que corresponden. Para que una sustancia pueda estimular las células sensitivas de los botones gustativos, debe ser un líquido o bien una sustancia soluble en saliva con el fin de que pueda penetrar por el poro gustativo. Al ser estimuladas, las diferentes células gustativas generan un impulso nervioso que llega, por separado, al bulbo raquídeo, y de aquí al área gustativa de la corteza cerebral. La inervación sensitiva corresponde al nervio vago y al glosofaríngeo, y la motora, al nervio facial.

CORPÚSCULO GUSTATIVO

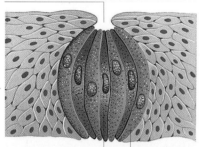

poro gustativo

célula gustativa

célula de sostén

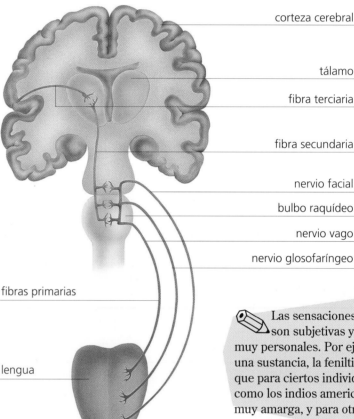

corteza cerebral

tálamo

fibra terciaria

fibra secundaria

nervio facial

bulbo raquídeo

nervio vago

nervio glosofaríngeo

fibras primarias

lengua

REPRESENTACIÓN ESQUEMÁTICA DE LAS VÍAS GUSTATIVAS

Botones especializados en sabores

Los botones gustativos no se reparten de forma uniforme por toda la superficie de la lengua, sino que se distribuyen originando zonas de mayor o menor concentración. Estas determinadas zonas sensibles se especializan en un sabor concreto: así, los botones sensibles al sabor **dulce** se localizan principalmente en la superficie anterior de la lengua; los que captan la **acidez**, a ambos lados de ésta; los botones sensibles a lo **amargo**, en su superficie posterior; y los sensibles a lo **salado** se esparcen por toda la lengua.

Seguro que conoces muchos alimentos que podrían ser representativos de estos cuatro sabores primarios: los limones (ácido), la sal (salado), el café (amargo), los pasteles (dulce), etc. Las sustancias causantes de las sensaciones gustativas primarias pueden ser muy variadas, ya que no suelen depender de un único agente químico. Por ejemplo, muchas sustancias utilizadas en medicina son amargas, como la quinina, la cafeína, la estricnina y la nicotina. Una de las sustancias naturales más dulces es la sacarosa (azúcar de caña), pero lo son mucho más la sacarina, un edulcorante sintético, u otras sustancias de origen orgánico.

Las sensaciones gustativas son subjetivas y, por tanto, muy personales. Por ejemplo existe una sustancia, la feniltiocarbamida, que para ciertos individuos, como los indios americanos, es muy amarga, y para otras razas es completamente insípida.

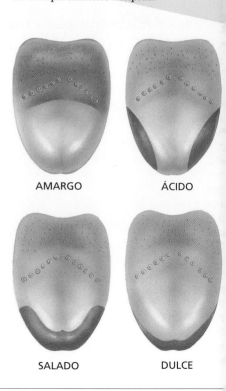

AMARGO

ÁCIDO

SALADO

DULCE

LOCALIZACIÓN DE LOS SABORES EN LA LENGUA

Los órganos del olfato

bulbo olfativo

glándula de Bowman

células olfatorias — epitelio olfatorio

células de sostén

cilios

Nariz

El olfato del ser humano es un sentido muy rudimentario en comparación con el de algunos animales. Es el sentido que, alojado en la nariz, permite detectar la presencia de sustancias gaseosas.

Los quimiorreceptores del olfato se hallan en la **pituitaria amarilla**, que ocupa la parte superior de las fosas nasales. La parte inferior se halla recubierta por la **pituitaria roja**, una mucosa con numerosos vasos sanguíneos que calientan el aire inspirado.

En la pituitaria amarilla o **membrana olfatoria** se distinguen tres capas de células: las **células de sostén**, las **células olfatorias** y las **células basales**. Las olfatorias son células nerviosas receptoras de los estímulos químicos provocados por los vapores. En la pituitaria amarilla también se hallan las **glándulas mucosas de Bowman**, que segregan un líquido que mantiene húmedo y limpio el epitelio olfatorio.

Para estimular las células olfatorias es necesario que las sustancias sean volátiles, es decir, han de desprender vapores que puedan penetrar por las fosas nasales, y que sean solubles en agua para que se disuelvan en el moco y lleguen a las células olfatorias. Éstas transmiten un impulso nervioso al bulbo olfatorio y, de éste, a los centros olfatorios de la corteza cerebral, que es donde se aprecia e interpreta la sensación.

Se cree que existen unos siete tipos de células olfatorias, cada una de las cuales sólo es capaz de detectar un tipo de moléculas. Estos olores primarios son: alcanforado (olor a alcanfor), almizclado (olor a almizcle), floral, mentolado, etéreo (olor a éter), picante y pútrido (olor a podrido).

Las células olfatorias llegan a fatigarse: tras un largo período percibiendo una misma sustancia, dejan de emitir impulsos nerviosos respecto a ella, pero siguen detectando todos los demás olores.

¿Qué se necesita para oler?

No se sabe qué es químicamente necesario para estimular las células olfatorias, pero sí se conocen las características físicas de las sustancias que causan estimulación olfatoria: han de ser volátiles, ligeramente solubles en agua, y también algo solubles en lípidos.

Además, las células olfatorias sólo se estimulan cuando el aire penetra hacia arriba en la región posterior de la nariz. Las células olfatorias transmiten un impulso nervioso al bulbo olfatorio, y éste a los centros olfatorios de la corteza cerebral, que es donde se aprecia e interpreta la sensación.

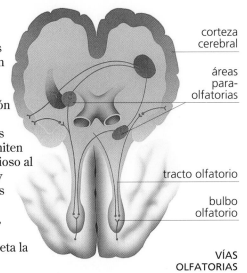

corteza cerebral

áreas para-olfatorias

tracto olfatorio

bulbo olfatorio

VÍAS OLFATORIAS

¿ Sabías que...

...algunos insectos tienen un gran olfato?

Muchos animales, como el perro y el gato, tienen un sentido del olfato mucho más sensible que el del ser humano, ya que para éste es, hasta cierto punto, un sentido más complementario que vital.

Entre estos animales también se cuentan los insectos, ya que el olfato es el medio de que se valen para localizar el alimento, identificar al otro sexo y descubrir la presencia de otros seres vivos.

Uno de los casos de mayor sensibilidad olfatoria es el de las polillas y mariposas nocturnas: los machos pueden sentirse atraídos por el olor de una hembra desde más de 1,5 km de distancia.

Los órganos del tacto

SECCIÓN DE LA PIEL Y RECEPTORES TÁCTILES

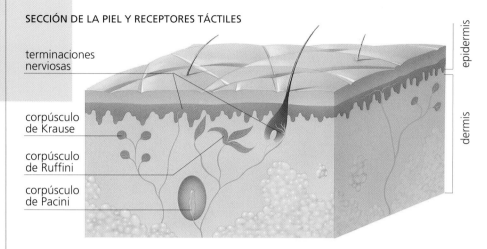

terminaciones nerviosas

corpúsculo de Krause

corpúsculo de Ruffini

corpúsculo de Pacini

epidermis

dermis

Piel

La piel es un tejido delgado y resistente que recubre todo el cuerpo, proporcionándole una cubierta protectora e impermeable. Es muy fina en algunos puntos, como los párpados (0,5 mm de espesor), y más gruesa en las palmas de las manos y las plantas de los pies (hasta 5 mm de espesor). La piel se compone de tres capas superpuestas: la epidermis, la dermis y el tejido subcutáneo.

La **epidermis** es la cobertura más exterior. Presenta una **capa córnea**, más superficial, formada por células secas que se convierten en una sustancia dura, la **queratina**. Una capa más profunda, la **capa mucosa o de Malpighi**, está formada por células que se renuevan de forma constante y reemplazan las células de la capa córnea.

La **dermis** también presenta dos capas: la **capa papilar**, con numerosos vasos sanguíneos y nervios, y la **capa**

reticular, en donde se encuentran las **glándulas sebáceas**, productoras de sebo o grasa, y los receptores táctiles de las terminaciones nerviosas: los **corpúsculos de Vater-Pacini**, **Ruffini**, **Meissner** y **Krause**, que permiten percibir el calor, frío, presión, forma, movimiento y demás estímulos táctiles externos. Estas terminaciones nerviosas son más numerosas en determinadas zonas de la piel, como la punta de la lengua y las yemas de los dedos, lo que las hace más sensibles. El **tejido subcutáneo** es la capa más profunda de la piel. Es una especie de «colchón», compuesto por un tejido adiposo o grasa, que aísla el cuerpo del frío, lo protege de los golpes y almacena reservas de energía del organismo. En él se encuentran las **glándulas sudoríparas**, que segregan el sudor, y numerosos **folículos pilosos**, en cada uno de los cuales nace un pelo.

La piel cuenta con unos tres millones de glándulas sudoríparas. Unidas una detrás de otra, tendrían una longitud de 48 km.

Tus cabellos crecen aproximadamente 1 cm cada mes. Son tan resistentes que pueden estirarse un tercio más de lo que miden sin romperse. Una trenza formada por 500 de estos cabellos podría sostener el peso de una persona adulta.

Un hindú ostenta la plusmarca mundial de longitud de uñas. Desde 1952 no se ha cortado las de su mano izquierda, y en 1985 sumaban, juntas, más de 3,5 m. Sólo la del pulgar medía 88 cm.

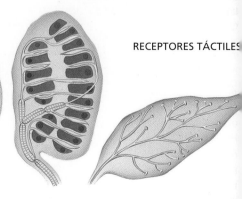

Receptores versátiles: dolor, presión, frío, calor...

Los receptores táctiles permiten que el cerebro no sólo identifique la naturaleza de un estímulo (presión, calor...), sino que también localice el lugar exacto donde se ha producido. Hay varios tipos de receptores táctiles:

• *Corpúsculos táctiles*: pueden ser terminaciones nerviosas libres o terminaciones nerviosas encapsuladas. Son sensibles al contacto porque los pelos, al rozar con los objetos, estimulan las terminaciones sensitivas. Las libres también se encargan de percibir las sensaciones de dolor, ya que son muy abundantes en la piel (170 por cm^2).

• *Corpúsculos de Meissner*: sensibles al contacto, son muy abundantes en las yemas de los dedos y en la punta de la lengua. Nos permiten saber la superficie y la extensión de los cuerpos.

• *Corpúsculos de Vater-Pacini*: están en la parte más profunda de la dermis y son sensibles a las deformaciones de la piel, es decir, a las fuerzas ejercidas sobre ella.

• *Corpúsculos de Krause*: están en la superficie de la dermis y son sensibles a las bajas temperaturas, por lo que a ellos se debe la sensación de frío.

• *Corpúsculos de Ruffini*: se localizan a mayor profundidad que los corpúsculos de Krause y son sensibles a los aumentos de temperatura, por lo que se encargan de la sensación de calor. Al no ser tan numerosos, la sensación de calor se percibe más lentamente que la sensación de frío. Este es el motivo por el cual puede ser bastante fácil que te quemes al sol si no actúas con precaución.

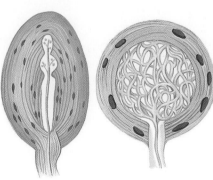

RECEPTORES TÁCTILES

CORPÚSCULO DE VATER-PACINI

CORPÚSCULO DE KRAUSE

CORPÚSCULO DE MEISSNER

CORPÚSCULO DE RUFFINI

SECCIÓN DE UN PELO

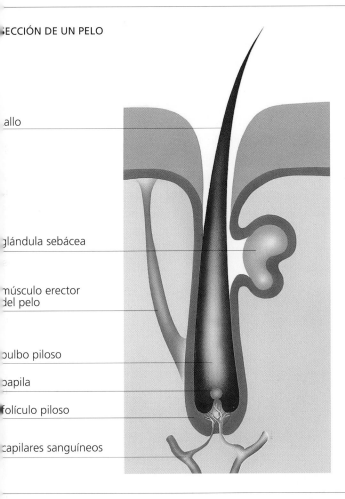

tallo

glándula sebácea

músculo erector del pelo

bulbo piloso

papila

folículo piloso

capilares sanguíneos

¿Cómo crece el cabello?

El cabello crece a medida que las células nuevas sustituyen a las viejas, convertidas en queratina. Si te arrancas un cabello y lo observas con una lupa, apreciarás que en uno de los extremos hay pequeños puntos blancos, que son las células viejas de queratina.

El pelo consta de la **raíz** o **bulbo piloso**, oculto en la piel, y del **tallo**, que sobresale de la epidermis. El bulbo forma una especie de bolsa, el **folículo piloso**, que se alimenta a través de una **papila** y a la cual llegan numerosos vasos sanguíneos. El folículo se queratiniza, es decir, se endurece, a medida que crece hacia la epidermis y forma el tallo. Unido a cada folículo piloso existe un **músculo erector**, que se contrae y produce la «piel de gallina» cuando, por ejemplo, tenemos frío. Normalmente, el crecimiento del cabello es muy superior al crecimiento del pelo de otras zonas de la piel. Esto se debe a la gran actividad de todos los folículos pilosos del cuero cabelludo, mientras que los folículos de otras partes del cuerpo están, en su gran mayoría, inactivos.

En nuestra cabeza puede haber 100 000 o 200 000 cabellos, que suelen crecer 1 mm cada tres días, o sea, unos 15 cm al año, y caen después de unos tres años de crecimiento. De esta manera, en un día, se te pueden caer más de 100 cabellos.

Su color depende, como en la piel, de la cantidad de melanina que producen los melanocitos de los folículos pilosos. Con la edad aparecen las **canas**: la melanina es sustituida por burbujas de aire en la raíz del pelo y el cabello se vuelve blanco. Esto ocurre normalmente en la vejez, pero también puede suceder en personas jóvenes porque es una característica hereditaria.

La uña, continuación de la piel

Las uñas son prolongaciones de la piel: las forman células que tienen mucha queratina y, por lo tanto, se han endurecido.

La parte descubierta de la uña es el **cuerpo ungueal**. Es transparente y, debido a ello, los capilares sanguíneos le dan su color rosado característico. La uña crece desde la **lúnula**, la media luna blanca que hay en la parte inferior, hasta el **margen libre** o extremo que sobresale de la yema del dedo. La parte interior de la uña es el **lecho ungueal**. Debajo de la lúnula se encuentra la **matriz ungueal**, que presenta diversos vasos sanguíneos y terminaciones nerviosas. Es aquí donde se inicia el crecimiento de la uña: en las manos, bastan unos tres meses para reemplazar una uña que se haya desprendido.

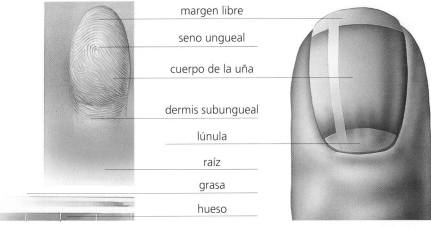

margen libre

seno ungueal

cuerpo de la uña

dermis subungueal

lúnula

raíz

grasa

hueso

SECCIÓN DEL DEDO Y DE LA UÑA

VISTA FRONTAL DEL DEDO Y DE LA UÑA

En una huella quedan hasta 250 000 millones de partículas de la sustancia olorosa del sudor de la mano, lo que permite que los perros puedan seguir el rastro de una persona mediante el olfato.

Huellas dactilares: personales e irrepetibles

Las huellas dactilares son los dibujos formados en la epidermis de las yemas de los dedos. Siempre son distintas en cada persona y no cambian durante toda su vida, por lo que, desde el siglo pasado, la policía las ha utilizado para la identificación de presuntos delincuentes.

En la actualidad, la policía utiliza complejos sistemas de clasificación, con la ayuda de computadoras, para catalogar cualquier huella según el dibujo y localizarla rápidamente.

YEMA DE UN DEDO Y SU HUELLA DACTILAR IMPRESA

El aparato reproductor

Las células nacen, crecen, se reproducen y mueren, por lo que la perpetuación de una especie exige la sustitución de unos seres por otros. Este proceso mediante el cual un ser da origen a otros seres semejantes es lo que se denomina **reproducción**.

En la especie humana, la función de reproducción es sexual: el nuevo ser tiene su origen en una célula, llamada huevo o zigoto, que proviene a su vez de otras dos células, los gametos, que se han fusionado para formar dicho huevo. Los órganos reproductores o genitales están adaptados para llevar a cabo la unión de los gametos y la formación y desarrollo del zigoto hasta la constitución de un nuevo ser humano.

Los aparatos reproductores masculino y femenino, que «fabrican» los gametos y posibilitan la fecundación, presentan notables diferencias. Sin embargo, ambos tienen unos órganos que han de cubrir necesidades comunes: las gónadas (donde se forman los gametos), las vías genitales (conductos que llevan los gametos al lugar de la fecundación) y los genitales externos (órganos que permiten la unión sexual y posibilitan el encuentro entre los gametos).

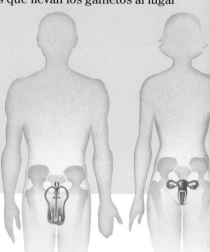

SECCIÓN DEL ÓRGANO
REPRODUCTOR MASCULINO

SITUACIÓN DE LOS ÓRGANOS
REPRODUCTORES

vesícula seminal

Órgano tubular que segrega un líquido gelatinoso y desemboca en el conducto eyaculador.

próstata

Glándula de secreción externa cuyo líquido asegura la movilidad de los espermatozoides.

glándula de Cowper

Glándula productora de una secreción mucosa que se vierte en la uretra para completar el contenido del semen.

cuerpo cavernoso del pene

Masa muscular lisa, situada encima de la uretra, que forma parte del pene y posibilita su erección.

cuerpo esponjoso del pene

Estructura interior del pene que, en su parte final, es más ancha y forma el glande.

glande del pene

Parte final, más ancha, del cuerpo esponjoso del pene.

prepucio

Repliegue de carácter epitelial que cubre el glande.

conducto deferente

Conducto que parte del epidídimo e impulsa los espermatozoides hacia la uretra.

epidídimo

Estructura tubular, situada junto al testículo, que permite el almacenamiento y maduración de los espermatozoides.

uretra

Conducto por el cual se expulsa el semen.

testículo

Glándula ovoidal con una función exocrina, la formación de espermatozoides, y una función endocrina, la secreción de testosterona.

escroto

Bolsa cutánea, situada fuera de la cavidad abdominal, que aloja los testículos.

El sexo depende de un único cromosoma

El responsable del sexo del embrión es siempre el espermatozoide fecundante. Las células sexuales, tanto la masculina como la femenina, poseen 23 cromosomas, uno de los cuales es el **cromosoma sexual**, llamado **X** o **Y**. El cromosoma del óvulo es siempre X, y el del espermatozoide puede ser X o Y.

Si un óvulo se une a un espermatozoide con cromosoma X, el zigoto será XX y dará origen a una niña. Sin embargo, si se une a un espermatozoide con cromosoma Y, resultará un zigoto XY, es decir, un niño. Por tanto, existe un 50 % de posibilidades de que el nuevo individuo sea niño o niña. Con los 23 cromosomas del padre y otros tantos de la madre, el nuevo ser recibe 50 000 -100 000 **genes** o factores de la herencia. Estos genes son los portadores de los caracteres que hacen que una persona sea diferente e irrepetible, aunque guarde cierto parecido con sus progenitores.

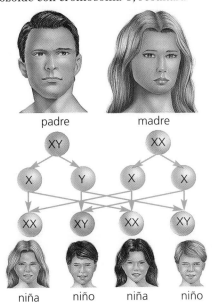

padre   madre

niña   niño   niña   niño

¿ Sabías que...

...también existe la fecundación externa?

En algunos peces y en la mayoría de animales terrestres, la fecundación se produce en el interior del aparato reproductor femenino, pero en la mayoría de animales acuáticos y en algunos anfibios e insectos, la fecundación se realiza en el medio externo, fuera del organismo materno.

En la fecundación externa, la hembra suelta los óvulos en el agua y lo mismo hace el macho con sus espermatozoides. Éstos flotan en el agua y, cuando uno de ellos encuentra un óvulo, lo fecunda. Existe el curioso caso del caballito de mar: la hembra deja unos cien huevos en la bolsa del macho y cuatro semanas después nacen los hipocampos, que todavía permanecerán 20 o 30 días más en el abrigo paterno.

Algunos mamíferos presentan también un tipo de reproducción característico: el pequeño canguro nace dos veces. La hembra da a luz un embrión, de 1 g de peso, sin ojos ni orejas, que pasará del vientre de la madre a la bolsa marsupial. Allí se adherirá a la tetina y pasará unos ocho meses, al cabo de los cuales dejará ese refugio con un peso de 2-4 kg.

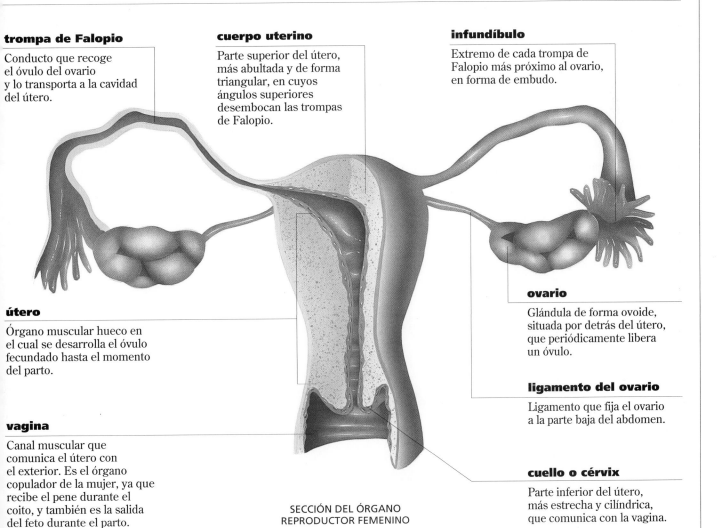

trompa de Falopio
Conducto que recoge el óvulo del ovario y lo transporta a la cavidad del útero.

cuerpo uterino
Parte superior del útero, más abultada y de forma triangular, en cuyos ángulos superiores desembocan las trompas de Falopio.

infundíbulo
Extremo de cada trompa de Falopio más próximo al ovario, en forma de embudo.

útero
Órgano muscular hueco en el cual se desarrolla el óvulo fecundado hasta el momento del parto.

ovario
Glándula de forma ovoide, situada por detrás del útero, que periódicamente libera un óvulo.

ligamento del ovario
Ligamento que fija el ovario a la parte baja del abdomen.

vagina
Canal muscular que comunica el útero con el exterior. Es el órgano copulador de la mujer, ya que recibe el pene durante el coito, y también es la salida del feto durante el parto.

cuello o cérvix
Parte inferior del útero, más estrecha y cilíndrica, que comunica con la vagina.

SECCIÓN DEL ÓRGANO REPRODUCTOR FEMENINO

Los órganos reproductores masculinos

Testículos

Los testículos son las gónadas masculinas, dos glándulas ovoidales alojadas en el **escroto**, una bolsa cutánea que se sitúa fuera de la cavidad abdominal, por debajo del pene. Su superficie externa es lisa. Interiormente, cada uno se divide en 200 o 300 **lobulillos**, que alojan los **túbulos seminíferos**, muy finos y que desembocan en la **red de Hallen**. Los testículos tienen una función exocrina, la formación de espermatozoides, efectuada por las células germinales, y una función endocrina, la secreción de testosterona. Las células germinales, que se encuentran en el epitelio de los túbulos seminíferos, producen, a partir de la pubertad, unos 200 millones de espermatozoides al día.

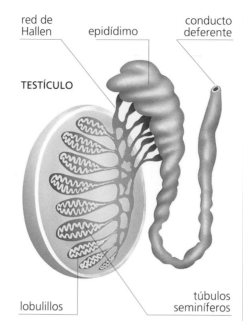

red de Hallen · epidídimo · conducto deferente · TESTÍCULO · lobulillos · túbulos seminíferos

Pene

El pene es el órgano copulador masculino. Su función consiste en depositar el semen en el interior de la vagina femenina mediante la eyaculación.

Su cuerpo es cilíndrico. Interiormente lo constituyen el **cuerpo cavernoso**, dos masas musculares lisas, y el **cuerpo esponjoso**, que se ensancha en su parte final para formar el **glande**. Un repliegue de carácter epitelial, el **prepucio**, cubre el glande cuando el órgano no está erecto.

El pene tiene una longitud de 10-12 cm en estado de flaccidez pero, antes de la copulación, las arterias inyectan sangre en los cuerpos cavernosos y producen la erección del pene, que se alarga hasta los 15-16 cm.

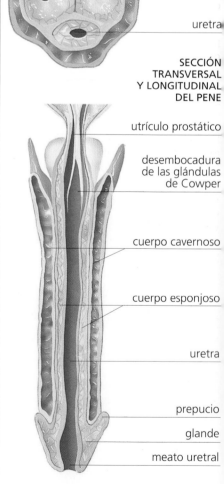

venas · arterias · uretra

SECCIÓN TRANSVERSAL Y LONGITUDINAL DEL PENE

utrículo prostático · desembocadura de las glándulas de Cowper · cuerpo cavernoso · cuerpo esponjoso · uretra · prepucio · glande · meato uretral

Vías genitales masculinas

Hasta depositarse en el órgano genital femenino, los espermatozoides recorren unas vías genitales formadas por varios conductos:

• *Epidídimo*: estructura tubular, de más de 5 m de longitud, donde se reúne la red testicular y se produce el almacenamiento y maduración de los espermatozoides durante unos 10 días.

• *Conducto deferente*: de unos 50-60 cm de longitud, se extiende desde el epidídimo hasta las vesículas seminales. Se encarga de impulsar los espermatozoides hacia la uretra.

• *Conducto eyaculador*: tubo que resulta de la unión de las vesículas seminales y el conducto deferente.

• *Uretra*: vía genital por la que se expulsa el semen. También es la vía excretora de la orina.

A lo largo de su recorrido, las vías seminales reciben los productos de diversas glándulas que contribuyen a la formación del semen:

• *Vesículas seminales*: situadas junto a los conductos deferentes, segregan un líquido gelatinoso, rico en fructosa, que sirve de alimento a los espermatozoides y activa su locomoción.

• *Próstata*: glándula situada bajo la vejiga urinaria, al inicio de la uretra, que segrega un líquido viscoso y alcalino que se mezcla con los espermatozoides durante la eyaculación.

• *Glándulas de Cowper*: producen una secreción mucosa que completa el contenido del semen.

próstata · conducto deferente · epidídimo · uretra

VÍAS GENITALES MASCULINAS

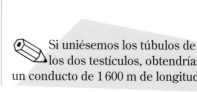
Si uniésemos los túbulos de los dos testículos, obtendríamos un conducto de 1 600 m de longitud.

Los órganos reproductores femeninos

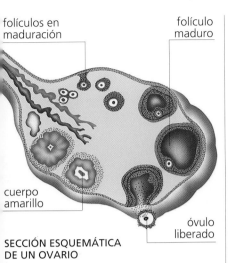

folículos en maduración

folículo maduro

cuerpo amarillo

óvulo liberado

SECCIÓN ESQUEMÁTICA DE UN OVARIO

Ovario

Son las gónadas femeninas. Estas dos glándulas, de forma almendrada, se encuentran detrás del útero y se fijan a la parte baja del abdomen mediante una serie de ligamentos. Se conectan al útero por las trompas de Falopio. Cada ovario tiene dos zonas:

• *Zona cortical* o *germinativa*: presenta unas cavidades, los **folículos**, que contienen las células sexuales en distintos grados de madurez. Los folículos maduros se abren al exterior y liberan un **óvulo**.

• *Zona medular* o *vascular*: situada en el centro del órgano, está formada por tejido conjuntivo muy irrigado e inervado.

El ovario posee una importante función endocrina porque segrega unas sustancias, los estrógenos y la progesterona, que actúan sobre el útero y lo preparan para la fecundación y la nutrición del embrión.

Genitales externos femeninos

La extremidad inferior de la vagina se abre en la vulva a través de un orificio. La **vulva** presenta un par de **labios mayores**, unos repliegues cutáneos cubiertos de vello, y un par de **labios menores**, parecidos a los anteriores pero sin vello y situados más interiormente. En las mujeres vírgenes también suele haber el **himen**, un repliegue membranoso que ocluye parcialmente el orificio vaginal. En la parte superior de la vulva hay una estructura eréctil, el **clítoris**, que es el órgano sensorial sexual femenino y juega un papel importante durante la copulación.

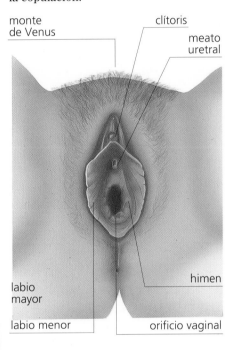

monte de Venus

clítoris

meato uretral

labio mayor

himen

labio menor

orificio vaginal

GENITALES EXTERNOS FEMENINOS

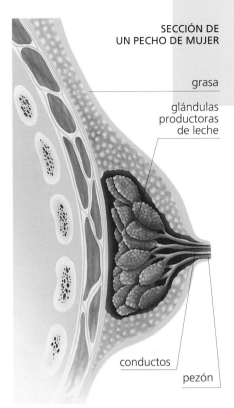

SECCIÓN DE UN PECHO DE MUJER

grasa

glándulas productoras de leche

conductos

pezón

También se pueden considerar como genitales externos las **glándulas mamarias**, los órganos destinados a la alimentación del nuevo ser en las primeras fases de su vida. Situadas en la pared anterior del tórax, estas glándulas productoras de leche están rodeadas de células musculares cubiertas de grasa y presentan una red de conductos que desembocan en el **pezón**. Durante el embarazo, el número de canales y de glándulas productoras de leche se incrementa, en perjuicio de la grasa, mientras que la sangre abastece el crecimiento de los pechos.

Vías genitales femeninas

Las **trompas de Falopio**, de 12-14 cm de longitud, son dos conductos, uno derecho y otro izquierdo, que se extienden desde cada ovario al ángulo superior del útero. El extremo más próximo al ovario, al que envuelve parcialmente, se denomina **infundíbulo** y tiene forma de embudo. Las trompas de Falopio se encargan de recoger el óvulo y transportarlo al útero. El **útero** o **matriz** es el órgano muscular hueco que recibe el óvulo fecundado, conserva y nutre el zigoto, y lo expulsa durante el parto después de nueve meses. En el útero se distinguen la parte superior o **cuerpo**, más abultada y en donde desembocan las trompas de Falopio, y la parte inferior, más estrecha o cilíndrica, denominada **cuello** o **cérvix**, que comunica con la vagina. La **vagina** es el órgano copulador femenino, el que recibe el pene durante la cópula. Es un canal muscular, de 10-12 cm de longitud, que comunica el útero con el exterior, por lo que permite la salida del feto durante el parto.

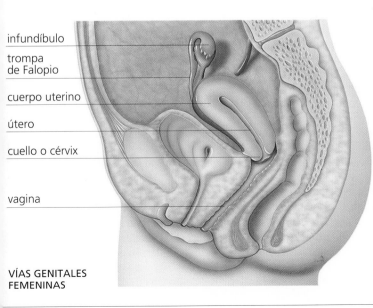

infundíbulo

trompa de Falopio

cuerpo uterino

útero

cuello o cérvix

vagina

VÍAS GENITALES FEMENINAS

La fecundación

Espermatozoides: un único vencedor

Los espermatozoides, las células sexuales masculinas, se forman en los túbulos seminíferos de los testículos a partir de unas células denominadas **espermatogonias**. Este proceso, la **espermatogénesis**, presenta cuatro fases diferenciadas:

• *Fase de proliferación*: las células germinales se multiplican por mitosis y originan espermatogonias con 46 cromosomas.
• *Fase de crecimiento*: las espermatogonias aumentan de tamaño y aparecen los espermatocitos de primer orden, todavía con 46 cromosomas.
• *Fase de maduración*: los espermatocitos sufren primero una división meiótica y, luego, una segunda mitosis, dando lugar a cuatro espermátidas con 23 cromosomas.
• *Fase de diferenciación* o *de espermiogénesis*: cada espermátida se transforma en un verdadero espermatozoide, preparado para fecundar un óvulo.

El número de espermatozoides que se liberan en cada eyaculación puede llegar hasta los 350 millones por cm^3. Sin embargo, normalmente, sólo uno podrá alcanzar su objetivo: fecundar un óvulo. Para ello han de realizar un «largo» viaje de unos 10 cm, hasta las trompas de Falopio, a una velocidad aproximada de 4 mm por minuto.
En un espermatozoide, que mide 50-60 micras, se distinguen la cabeza, la pieza intermedia y el flagelo.
La **cabeza** contiene los enzimas que ayudan a penetrar en el óvulo.
La **pieza intermedia** consta de dos centriolos en cada extremo, un filamento axial central y una serie de mitocondrias que lo envuelven y aportan energía para el movimiento del flagelo.
El filamento axial del **flagelo** o **cola** presenta una doble envoltura, cuyo movimiento flagelar permite el desplazamiento del espermatozoide.

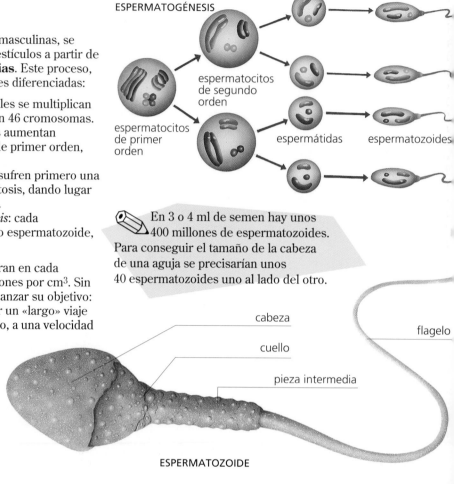

PROCESO DE LA ESPERMATOGÉNESIS

espermatocitos de primer orden

espermatocitos de segundo orden

espermátidas

espermatozoides

En 3 o 4 ml de semen hay unos 400 millones de espermatozoides. Para conseguir el tamaño de la cabeza de una aguja se precisarían unos 40 espermatozoides uno al lado del otro.

cabeza

cuello

pieza intermedia

flagelo

ESPERMATOZOIDE

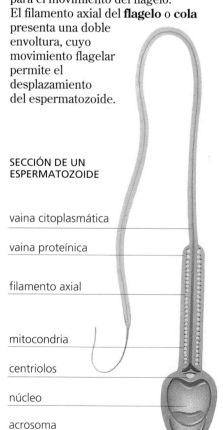

SECCIÓN DE UN ESPERMATOZOIDE

vaina citoplasmática

vaina proteínica

filamento axial

mitocondria

centriolos

núcleo

acrosoma

Una carrera de obstáculos

En la especie humana, la fecundación es de tipo interno: es preciso introducir los espermatozoides en el aparato reproductor femenino, lo que se lleva a cabo mediante el acto sexual o **copulación**.
La copulación se inicia con la erección del pene y continúa con su introducción en la vagina y la eyaculación del semen. Los espermatozoides penetran en el útero y ascienden por la trompa de Falopio, en donde tiene lugar la **fecundación**. Este camino es una carrera de obstáculos y una verdadera prueba de resistencia. Cientos de millones de espermatozoides perecen en el cuello del útero, víctimas de la secreción ácida de la mucosa que lo recubre. La mucosa actúa de filtro selectivo: sólo un 1 % de los espermatozoides alcanza la cavidad uterina. Muchos otros perecen dentro de esta, literalmente agotados, y sólo

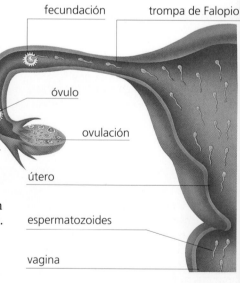

fecundación

trompa de Falopio

óvulo

ovulación

útero

espermatozoides

vagina

FECUNDACIÓN DEL ÓVULO POR UN ESPERMATOZOIDE

unos pocos centenares consiguen ascender por la trompa de Falopio para dirigirse al encuentro del óvulo.
Si la fecundación es normal, sólo uno de ellos logrará atravesar la membrana del óvulo y fecundarlo.

El óvulo, una célula «en conserva»

El óvulo es una gran célula esférica, de 0,1 mm de diámetro (medio grano de sal), pero es incompleta, ya que sólo puede subsistir si un espermatozoide le proporciona la otra mitad del material nuclear que necesita para prosperar. El **citoplasma** de esta célula lo forman unas sustancias de reserva o **vitelo**. En él se localizan los **gránulos corticales** y el **núcleo** o **vesícula germinal**, cuyos nucléolos reciben el nombre de **manchas germinativas**. El citoplasma está envuelto por diversas **membranas** que protegen el óvulo.

El proceso de formación de los óvulos, la **ovogénesis**, se desarrolla en el interior de los folículos del ovario antes del nacimiento del ser femenino. En la fase de proliferación, las células germinales se multiplican por mitosis y originan **ovogonias**, células de 46 cromosomas. Durante la fase de crecimiento, las ovogonias aumentan de tamaño, se transforman en **ovocitos de primer orden**, se rodean de células foliculares y dan lugar a **folículos primordiales**, que paralizan su actividad.

Estos ovocitos primarios permanecen «en conserva», sin actividad, hasta que la mujer llega a la pubertad y se reinicia el proceso: los ovocitos se dividen, primero, por meiosis y se convierten en células con 23 cromosomas, liberando un **cuerpo polar** que degenera. En la siguiente división, el ovocito libera otro corpúsculo y se transforma en **óvulo**. Es entonces cuando se rompe el folículo y el óvulo sale del ovario. Esta circunstancia, denominada **ovulación**, se produce en la mujer con una frecuencia promedio de 28 días.

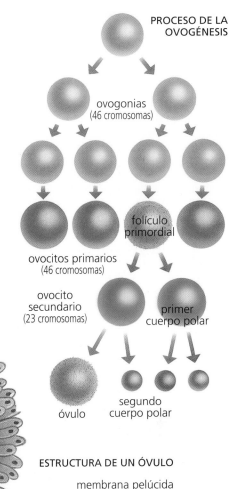

PROCESO DE LA OVOGÉNESIS

ovogonias (46 cromosomas)

folículo primordial

ovocitos primarios (46 cromosomas)

ovocito secundario (23 cromosomas)

primer cuerpo polar

óvulo

segundo cuerpo polar

ESTRUCTURA DE UN ÓVULO

cuerpo polar
vesícula germinativa
mancha germinativa
vitelo
gránulos corticales

membrana pelúcida
membrana vitelina
corona radiada

Durante este proceso, que dura una media hora, los espermatozoides se sienten atraídos por una sustancia química que desprende el óvulo. Los que quedan retenidos en las vías genitales femeninas todavía son aptos para la fecundación durante uno o dos días más.

La fecundación da origen al **zigoto**, la primera célula del nuevo individuo. El proceso de fecundación consta de dos fases bien diferenciadas: la primera es la **fertilización**, cuando el espermatozoide perfora la membrana del óvulo, introduce la cabeza y la pieza intermedia, pierde la cola, y se forma una nueva membrana para impedir la fecundación por otro espermatozoide. Seguidamente, se produce la **fusión del núcleo** del espermatozoide con el núcleo del óvulo para formar una célula de 46 cromosomas, la **anfimixis**, que marca el inicio del desarrollo embrionario.

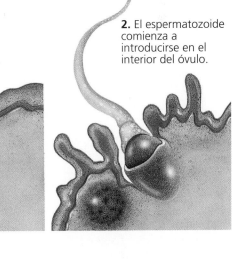

1. La cabeza del espermatozoide se apoya en la membrana del óvulo.

2. El espermatozoide comienza a introducirse en el interior del óvulo.

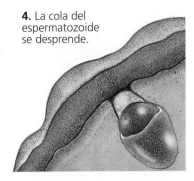

3. El óvulo forma una nueva membrana para impedir la fecundación por otro espermatozoide.

4. La cola del espermatozoide se desprende.

PROCESO DE FECUNDACIÓN DEL ÓVULO POR UN ESPEMATOZOIDE

El acto sexual

Para que nazca un ser humano, es necesario que un óvulo y un espermatozoide se encuentren y se fusionen, es decir, que exista la fecundación, que el huevo se fije en el útero (**nidación**) y que se transforme en feto (**embarazo**).

El acto sexual es aquel por medio del cual se unen el hombre y la mujer en un acoplamiento que permite la fecundación. Es el instinto, deseo o impulso sexual lo que atrae a la pareja, el uno hacia el otro. Este deseo se traduce en el hombre en un fenómeno muy aparente, la erección, y en una serie de transformaciones, quizá menos evidentes, en la mujer.

La **erección** la pueden provocar diferentes formas de excitación física, psíquica o sensorial, que actúan sobre un centro reflejo situado en la médula espinal. En el curso de la erección, los cuerpos eréctiles del pene (cuerpos cavernosos, cuerpo esponjoso y glande) se llenan de sangre y se cierran las venas que permiten que ésta vuelva a la circulación general. El pene aumenta de volumen, se endereza hacia delante y se pone rígido, y de esta manera puede penetrar en la vagina. En la mujer, bajo la influencia del deseo, también se produce un aflujo sanguíneo a la altura de la vagina. En las paredes vaginales se forman unas finas gotas, compuestas de un líquido lubrificante que facilita el acto sexual. La vagina se modifica: la parte superior se ovala y la inferior se estrecha para poder ceñir mejor el pene en la penetración.

La **eyaculación** se produce cuando el pene está en erección, gracias a las potentes contracciones de los músculos perineales. Estas contracciones hacen avanzar el esperma, que se acumula en las vesículas seminales, hacia el principio de la uretra y hacia el meato. El esperma se expulsa en varios chorros que decrecen en potencia, en una cantidad de 2-4 cm³ por eyaculación, es decir, entre 100 y 400 millones de espermatozoides, gran parte de los cuales pueden fecundar varias horas después de su emisión. La erección y la eyaculación pueden producirse de manera inconsciente durante el sueño; las eyaculaciones nocturnas, frecuentes durante la adolescencia, son un fenómeno completamente normal.

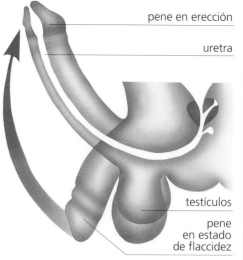

pene en erección

uretra

testículos

pene en estado de flaccidez

ÓRGANOS SEXUALES MASCULINOS DURANTE EL ESTADO DE EXCITACIÓN

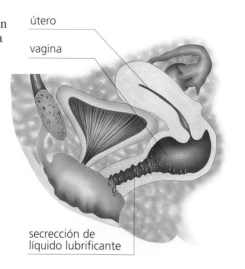

útero

vagina

secreción de líquido lubrificante

ÓRGANOS SEXUALES FEMENINOS DURANTE EL ESTADO DE EXCITACIÓN

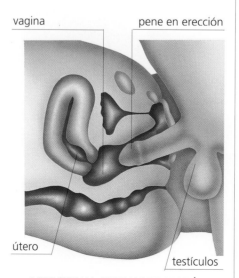

vagina

pene en erección

útero

testículos

ACTO SEXUAL: DETALLE EN SECCIÓN DE LA ZONA ENMARCADA

La división cromosómica

Después de la eyaculación, los espermatozoides entran en el útero y ascienden por la trompa de Falopio. Si en ésta existe un óvulo maduro liberado el mismo día o el día anterior por el ovario, se produce la fecundación. Cuando la cabeza de un espermatozoide penetra en el óvulo, la membrana de éste experimenta una serie de transformaciones para que ningún otro pueda entrar.

En ese momento, 23 cromosomas masculinos del espermatozoide se unen con los 23 cromosomas femeninos del óvulo para originar el zigoto. A partir de entonces se desarrolla el proceso de reproducción celular, la **mitosis**. El zigoto se desplaza por la trompa de Falopio y, a las pocas horas, se divide en dos células más pequeñas, y así sucesivamente.

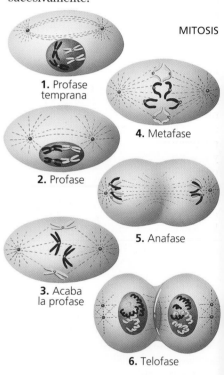

MITOSIS

1. Profase temprana

2. Profase

3. Acaba la profase

4. Metafase

5. Anafase

6. Telofase

Las células se duplican en copias exactas a la anterior. El comienzo o **profase** consiste en la desaparición del núcleo de la célula, mientras los cromosomas tienden a situarse en el centro y los centriolos se desplazan hacia ambos extremos. En la **metafase**, los centriolos acaban de colocarse para que se pueda iniciar la etapa siguiente, la **anafase**, en la cual los cromosomas se separan. En la **telofase**, la célula queda dividida en dos partes idénticas con la aparición de los nucléolos, la formación de una membrana nuclear en cada extremo, y el estrechamiento y posterior división de la membrana citoplasmática por la zona central.

A los cuatro días de la fecundación, el embrión, ya fijado en la pared del útero, consta de 32 células idénticas dispuestas en forma de esfera, la **mórula**.

La gestación

El zigoto, de la zarzamora al embrión

Después de la fertilización, cuando el material genético del espermatozoide completa el contenido nuclear del óvulo para formar una célula con 46 cromosomas, la célula originada, el zigoto, se dirige hacia el útero, donde permanece y se desarrolla durante nueve meses.

En su viaje al útero, el zigoto se divide hasta formar un conglomerado compacto de 16 o 32 nuevas células, la **mórula**, que se parece al fruto de la zarzamora. Los **blastómeros**, las células de la mórula, segregan un líquido seroso que llena el interior del conglomerado y forman una cavidad en él. Es el **estado de blástula**, durante el cual este primitivo organismo, parecido a una bola hueca, se fija a las paredes del útero. Esta anidación tiene lugar hacia el sexto o séptimo día después de la fecundación.

En el útero, las células continúan multiplicándose y empiezan a especializarse para formar, posteriormente, todos los tejidos y órganos del embrión, un futuro organismo humano. A partir de la tercera semana aparecen las estructuras que darán lugar a los distintos órganos, el esqueleto, los vasos y el sistema nervioso.

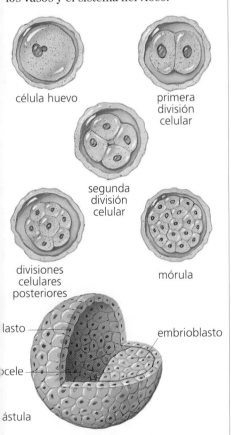

célula huevo

primera división celular

segunda división celular

divisiones celulares posteriores

mórula

...lasto — — embrioblasto

...ocele

...ástula

FORMACIÓN DE LA MÓRULA

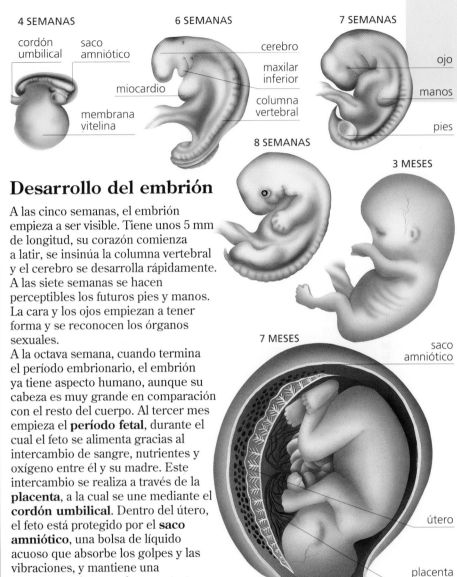

4 SEMANAS
cordón umbilical
saco amniótico
miocardio
membrana vitelina

6 SEMANAS
cerebro
maxilar inferior
columna vertebral

7 SEMANAS
ojo
manos
pies

8 SEMANAS

3 MESES

7 MESES
saco amniótico
útero
placenta

Desarrollo del embrión

A las cinco semanas, el embrión empieza a ser visible. Tiene unos 5 mm de longitud, su corazón comienza a latir, se insinúa la columna vertebral y el cerebro se desarrolla rápidamente. A las siete semanas se hacen perceptibles los futuros pies y manos. La cara y los ojos empiezan a tener forma y se reconocen los órganos sexuales.

A la octava semana, cuando termina el período embrionario, el embrión ya tiene aspecto humano, aunque su cabeza es muy grande en comparación con el resto del cuerpo. Al tercer mes empieza el **período fetal**, durante el cual el feto se alimenta gracias al intercambio de sangre, nutrientes y oxígeno entre él y su madre. Este intercambio se realiza a través de la **placenta**, a la cual se une mediante el **cordón umbilical**. Dentro del útero, el feto está protegido por el **saco amniótico**, una bolsa de líquido acuoso que absorbe los golpes y las vibraciones, y mantiene una temperatura intrauterina constante.

CRECIMIENTO Y DESARROLLO DEL FETO				
	EDAD	CARACTERÍSTICAS	PESO (g)	LONG. (cm)
EMBRIÓN	1er mes	Empieza a latir el corazón. Se insinúan la columna vertebral y el cerebro.	2-3	0,75
	2º mes	Son perceptibles los pies y las manos. Se reconocen los órganos sexuales.	5-8	3
PERÍODO FETAL	3er mes	El feto adquiere aspecto humano, aunque su cabeza es muy grande.	18-20	15
	4º mes	Se esboza el funcionamiento del tubo digestivo, hígado, páncreas y riñones.	120	21
	5º mes	Maduración del sistema nervioso. Aparece una fina capa de vello en la piel.	300	27
	6º mes	La médula ósea empieza a producir glóbulos rojos. Maduran los pulmones.	800-900	33
	7º mes	La piel aparece rosada y lisa. El feto está en condiciones de sobrevivir.	1300-1400	39
	8º mes	Los pulmones están preparados para empezar las respiraciones.	2200-2300	45
	9º mes	El feto está formado y se encaja en la pelvis de la madre.	3200-3300	48-51

Período fetal: un lento desarrollo

A partir del inicio del tercer mes comienza el período fetal, el de consolidación, desarrollo y maduración de las estructuras y órganos.

Hacia el cuarto mes se esbozan el tubo digestivo, el hígado, el páncreas y los riñones, mientras el aparato circulatorio asegura la alimentación de las células del feto. Aparecen los cabellos y las uñas.

En el quinto mes empieza la maduración del sistema nervioso: las neuronas forman una compleja red de estímulos y respuestas. La madre comienza a percibir los movimientos del feto, que ya tiene cejas, pestañas y vello en la piel.

En el sexto mes, el feto adquiere un color rosáceo al hacerse visible la sangre de los capilares.

A los siete meses, los pulmones ya cuentan con una mínima estructura que permitiría la supervivencia del bebé en caso de un parto prematuro. La médula ósea adquiere su función de producción de glóbulos rojos y el sistema nervioso regula la temperatura corporal y los movimientos respiratorios.

En el octavo mes, los pulmones ya están listos para realizar las primeras respiraciones. La piel aparece rosada y lisa.

A los nueves meses, el tórax se hace prominente. El feto acaba de posicionarse en el útero, normalmente cabeza abajo, y permanece en esta posición porque el útero no puede dilatarse más.

Hacia las 36 semanas, ya en la fase terminal, el feto encaja su cabeza en la pelvis de la madre y está listo para el parto, que se produce entre la semana 38 y la 42.

Una mujer normal produce, a lo largo de su vida, unos 400 óvulos maduros, aunque la gran mayoría no se fertilicen.

La madre más vieja que se conoce fue Ruth Kistler, de Oregón (Estados Unidos), que en 1966 dio a luz una hija a los 57 años de edad.

La señora Vassilyev, esposa de un campesino ruso del siglo XVIII, se cree que es la mujer que más hijos ha dado a luz: 69. De ellos, 16 parejas eran gemelos, 7 veces tuvo trillizos y en 4 ocasiones tuvo cuatrillizos.

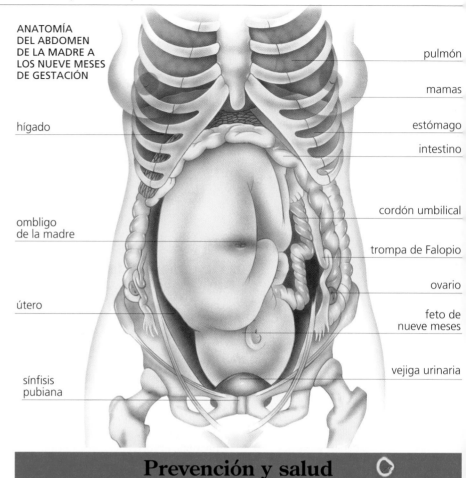

ANATOMÍA DEL ABDOMEN DE LA MADRE A LOS NUEVE MESES DE GESTACIÓN

hígado

ombligo de la madre

útero

sínfisis pubiana

pulmón

mamas

estómago

intestino

cordón umbilical

trompa de Falopio

ovario

feto de nueve meses

vejiga urinaria

Prevención y salud

Para una mujer embarazada es vital seguir una dieta, unos hábitos y un ritmo de vida saludables. De la misma manera que los nutrientes y el oxígeno pasan por la placenta y llegan al feto, podría suceder lo mismo con sustancias perjudiciales ingeridas por la madre, especialmente durante los tres primeros meses del embarazo.

Por tanto, es necesario que las mujeres embarazadas adopten ciertas precauciones:

- Evitar las infecciones, como la rubéola, que afecta al corazón, vista y oído del feto.
- No ingerir bebidas alcohólicas.
- Controlar la medicación consultando al doctor.
- No fumar, ya que los bebés de madres fumadoras pesan menos, tienen problemas de alimentación y son más propensos a contraer infecciones.

En muchas ocasiones es conveniente recurrir al consejo genético del médico, que establecerá la posible existencia de anormalidades hereditarias.

Una de las alteraciones genéticas más conocidas es el **síndrome de Down**. Aparece en uno de cada 650 nacimientos y se debe a la existencia de un cromosoma extra en el par 21. Ello significa que las células del individuo tienen 47 cromosomas, en lugar de los habituales 46.

Aunque no se puede curar, el mongolismo se puede modificar en algunos aspectos, como la mejora de la motricidad del afectado.

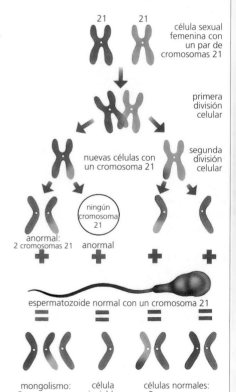

21   21

célula sexual femenina con un par de cromosomas 21

primera división celular

nuevas células con un cromosoma 21

segunda división celular

anormal: 2 cromosomas 21

ningún cromosoma 21

anormal

espermatozoide normal con un cromosoma 21

mongolismo: 3 cromosomas en el par 21

célula inviable

células normales: 2 cromosomas en el par 21

ALTERACIÓN EN EL PAR DE CROMOSOMAS 21, RESPONSABLE DEL SÍNDROME DE DOWN

El nacimiento

Existen gemelos y gemelos...

...según el número de zigotos de los que procedan. En efecto, los gemelos, es decir, los seres nacidos en un mismo parto, son **bivitelinos** si proceden de la fecundación de dos óvulos distintos por dos espermatozoides diferentes. También se conocen con el nombre de **mellizos**: pueden ser de distinto sexo y parecerse como si hubieran nacido por separado.

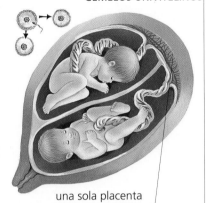

GEMELOS UNIVITELINOS

una sola placenta

dos placentas

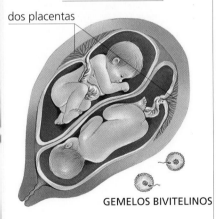

GEMELOS BIVITELINOS

Sin embargo, existen los gemelos **univitelinos**, desarrollados a partir de un único zigoto que se divide en dos, formando dos embriones idénticos porque, al proceder del mismo óvulo y del mismo espermatozoide, poseen igual material genético. Son del mismo sexo y comparten una sola placenta. La probabilidad de tener gemelos es de 1 sobre 80, e incluso hay casos en que nacen tres o más bebés, pero son muy escasos.

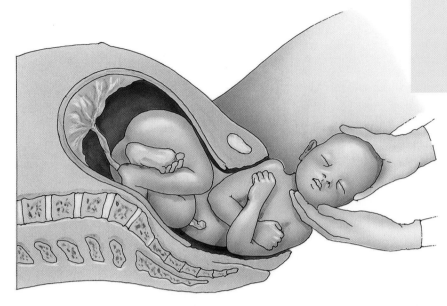

El momento culminante

Durante los primeros meses del embarazo, el feto se mueve y bascula dentro del líquido amniótico, por lo que es posible que nazca con el cordón umbilical enrollado alrededor del cuello. Hacia el séptimo mes, el tamaño del feto impide los movimientos basculantes, por lo que en ese momento adopta su posición definitiva. En la **fase de expulsión**, el momento culminante del parto, la presión del líquido amniótico provoca el desgarro de las membranas y el cuello vaginal se dilata hasta unos 10 cm de anchura para facilitar el paso, en primer lugar, de la cabeza del recién nacido. Es la **presentación** normal o cefálica, que se produce en el 96 % de los casos. Sin embargo, aproximadamente en un 3 % de ocasiones, el feto se presenta al revés, es decir, sus nalgas se encuentran en contacto con el cuello uterino, o incluso puede presentarse de forma transversal.
En estos casos más complicados, a veces se precisa realizar una cesárea, una operación quirúrgica que, mediante un corte vertical u horizontal en la piel del vientre de la madre, permite sacar el recién nacido del útero materno. Entre unos minutos y media hora después del nacimiento, empieza la última fase del parto: la expulsión de la placenta y de las membranas gracias a la retracción del útero (**alumbramiento**).

El médico la recoge y observa si está completa; en caso contrario, completa la expulsión empujando con una mano sobre el fondo uterino hacia la vagina, a modo de pistón. El peso de la placenta es de unos 500-600 g, aproximadamente 1/6 parte del peso del recién nacido.

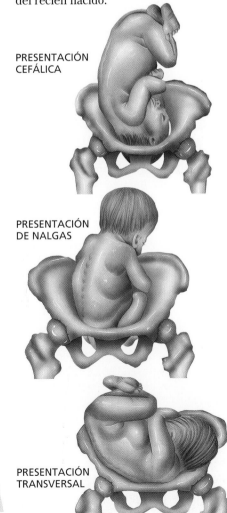

PRESENTACIÓN CEFÁLICA

PRESENTACIÓN DE NALGAS

PRESENTACIÓN TRANSVERSAL

La cesárea consiste en hacer una incisión en la piel de la región ventral materna para acceder al útero. Parece ser que su nombre deriva de *lex Cesarea* (*ley de César*), que obligaba a extraer al recién nacido del vientre de la madre cuando esta moría durante el parto.

El parto: fin de una etapa, inicio de una vida

El parto es el momento en el cual el bebé deja el útero materno y sale al mundo exterior. Empieza cuando el feto desciende y se ubica en la cavidad de la pelvis de la madre, y suele durar entre 12 y 15 horas.

El parto se inicia con una serie de contracciones involuntarias y periódicas del útero, cada 15 o 30 minutos. Estas contracciones, que aumentan en frecuencia e intensidad, desplazan el feto hasta el cuello uterino, cuyo orificio se dilata desde los 3-4 mm hasta los 11 cm de diámetro. Después de la rotura de la bolsa amniótica, lo que popularmente se llama *romper aguas*, las contracciones se hacen más intensas y suceden cada tres minutos. Las contracciones y los músculos abdominales de la madre expulsan el bebé a través de la vagina, empezando por la cabeza. En una última fase se expulsan la placenta y las membranas protectoras del feto. El desprendimiento de la placenta produce cierta pérdida de sangre, pero los vasos sanguíneos rotos se cierran gracias a la disminución del volumen del útero.

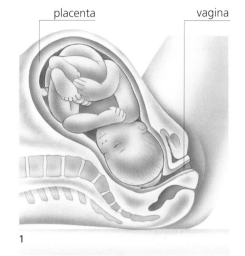

placenta — vagina

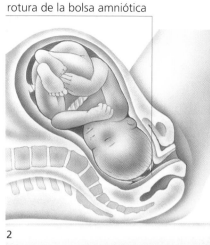

rotura de la bolsa amniótica

1

2

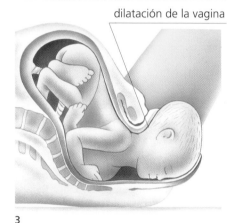

dilatación de la vagina — placenta — cordón umbilical

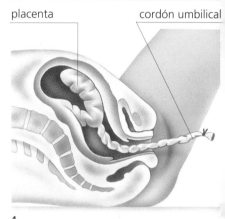

3

4

Crecimiento y desarrollo del ser humano

Después del parto, el nuevo ser ha de empezar a enfrentarse a situaciones desconocidas y debe aprender a desenvolverse en el mundo exterior: infancia, pubertad, juventud, madurez y vejez se suceden en un ciclo que obedece a la necesidad de perpetuación de la especie.

El desarrollo del cuerpo humano se sustenta en las **glándulas endocrinas**, cuyas hormonas permiten el aumento de tamaño y número de nuestras células, tejidos y órganos. Es la glándula hipófisis, que se encuentra ubicada en el hipotálamo del cerebro, la que marca el ritmo de crecimiento de nuestro cuerpo.

El crecimiento más acusado, conocido con el nombre de *el estirón*, suele acontecer hacia los 11 años de edad en las chicas. Los chicos aunque experimentan este crecimiento algo más tarde, pueden ver cómo éste se prolonga más tiempo.

En esta época también comienza la actividad de las hormonas sexuales, lo que marca el inicio de la **pubertad**. En las chicas aumenta el tamaño de los pechos y tienen lugar las primeras menstruaciones. En los chicos aparece vello púbico y los testículos empiezan a producir espermatozoides.

El **envejecimiento** es un fenómeno natural debido al desgaste progresivo de los tejidos del cuerpo. Es a partir de los 30 años cuando los músculos empiezan a degenerar, y algunas vísceras, como el hígado, el corazón y los riñones, disminuyen en tamaño y rendimiento.

La vida del ser humano es limitada, pero aumenta cada vez más su **esperanza de vida**, es decir, el número de años que va a vivir. En la actualidad, para los hombres, la esperanza de vida es de unos 73 años, y de 77 años en las mujeres.

Los casos más famosos de personas centenarias son el de Christian Jakobsen Drakenberg, un danés nacido en 1626 y fallecido a los 145 años y 326 días, y el de Li Chung-Yun, nacido en 1680, que según una agencia de noticias china falleció en 1933 a los 253 años de edad.

Al nacer tenías cerca de un 28 % de tu altura definitiva si eres un chico, y un 30 % si eres una chica.

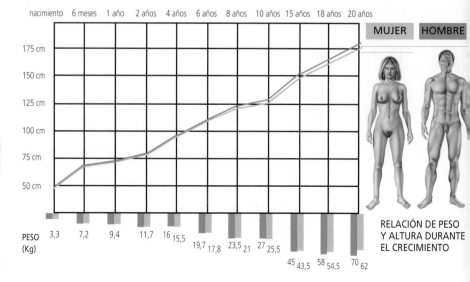

RELACIÓN DE PESO Y ALTURA DURANTE EL CRECIMIENTO

Qué es un metodo anticonceptivo

Un método anticonceptivo es el que impide, de forma provisional, el encuentro del óvulo con el espermatozoide, pero permite a la mujer recobrar su fecundidad cuando lo desee. Es por ello que se debe diferenciar la contracepción de la esterilidad, que es definitiva, y el aborto, que es la interrupción del embarazo.

Se distinguen diferentes métodos anticonceptivos:

La **píldora** suprime la ovulación porque contiene una mezcla de dos hormonas segregadas por el ovario: los estrógenos y la progesterona.

El **condón** es un preservativo masculino que se adapta desenrollándolo sobre el pene en erección, de la misma forma que un dedal cubre un dedo.

El preservativo femenino más empleado es el **diafragma**, un pequeño capuchón de goma o de otro material que se coloca en la vagina, delante del cuello uterino.

Los **dispositivos intrauterinos** son pequeños aparatos de material plástico, de diversas formas, que el médico introduce en la cavidad del útero.

¿ Sabías que...

...los animales grandes suelen vivir más tiempo?

Comparado con la mayoría de los animales, el ser humano tiene una vida larga. Por regla general, cuanto mayor es el tamaño de un animal, más tiempo vive.
El elefante asiático puede vivir tantos años como el ser humano, pero otras especies de paquidermos suelen vivir 20-30 años. En cuanto a los primates, se han dado casos de orangutanes que han alcanzado los 59 años. Los perros suelen vivir entre 8 y 15 años, y los gatos, algo más.
Los animales pequeños, como insectos, arañas y caracoles, sólo viven unos pocos meses o años. Caso curioso es el del yulo, una especie de lombriz que parece tener el secreto del rejuvenecimiento: una vez ha fecundado a la hembra, muda y se transforma en una joven larva que se convertirá, al cabo de un tiempo, en un macho adulto. Este fenómeno, que puede repetirse varias veces, se trata de un recurso de la naturaleza para aumentar el número de machos y poder fecundar a todas las hembras.

Menstruación: un ciclo que se repite

Cada 28 días, normalmente, se expulsa un óvulo de uno de los ovarios y se transporta hacia el útero a través de la trompa de Falopio. En los tres o cuatro días que dura la ovulación se segrega una hormona, la **progesterona**, que hace que la mucosa interna del útero se vuelva más esponjosa y se prepare adecuadamente para recibir la avalancha de espermatozoides y fecundar el óvulo.

Sin embargo, si no se fecunda el óvulo, se paraliza la producción de progesterona, se produce la rotura de algunos vasos sanguíneos y la mucosa se separa del útero. Entonces, el óvulo se expulsa al exterior junto con los restos de la mucosa uterina y una determinada cantidad de sangre. Es el proceso que se conoce como **menstruación**, que dura cuatro o cinco días, y al final del cual vuelve a iniciarse un nuevo ciclo con el crecimiento y desarrollo de otro folículo en el interior del ovario.

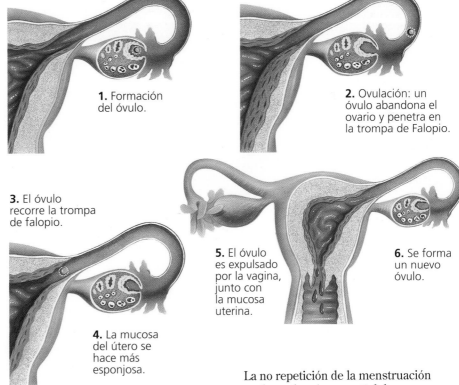

1. Formación del óvulo.

2. Ovulación: un óvulo abandona el ovario y penetra en la trompa de Falopio.

3. El óvulo recorre la trompa de falopio.

4. La mucosa del útero se hace más esponjosa.

5. El óvulo es expulsado por la vagina, junto con la mucosa uterina.

6. Se forma un nuevo óvulo.

La no repetición de la menstruación suele ser la primera señal de un embarazo, aunque en ocasiones puede deberse a otros motivos, como trastornos emocionales o físicos. A una edad madura (40-50 años), la menstruación se produce con menos regularidad hasta que, finalmente, cesa por completo: es la **menopausia**, proceso natural que representa la imposibilidad de tener hijos porque los ovarios dejan de producir óvulos fecundables.

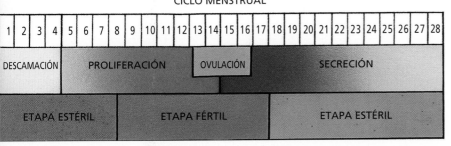

CICLO MENSTRUAL

| 1 | 2 | 3 | 4 | 5 | 6 | 7 | 8 | 9 | 10 | 11 | 12 | 13 | 14 | 15 | 16 | 17 | 18 | 19 | 20 | 21 | 22 | 23 | 24 | 25 | 26 | 27 | 28 |

DESCAMACIÓN · PROLIFERACIÓN · OVULACIÓN · SECRECIÓN

ETAPA ESTÉRIL · ETAPA FÉRTIL · ETAPA ESTÉRIL

El sistema endocrino

E l correcto funcionamiento de los órganos de nuestro cuerpo se basa en que éstos han de consumir unas sustancias para producir otras que el organismo reclama, lo que implica un sistema de control y regulación interno: el sistema hormonal o endocrino.

Las hormonas son como unos mensajeros químicos que unas glándulas liberan y vierten a la sangre. Las glándulas que segregan las hormonas son de secreción interna, es decir, endocrinas: no poseen conductos de salida y vierten su secreción a los espacios extracelulares, la cual es recogida y transportada por la sangre hacia otras regiones del organismo. Las más importantes son el hipotálamo, la hipófisis, la tiroides, las paratiroides, el páncreas, las glándulas suprarrenales y las gónadas, aunque hay otras, como la epífisis cerebral y el timo, cuya actividad todavía no se conoce con precisión.

Existen también otras glándulas (sudoríparas, salivares, lacrimales...) que son exocrinas o de secreción externa, ya que vierten sus productos fuera del flujo sanguíneo.

hipotálamo

Es el órgano cerebral que, a modo de estación central, ordena la producción y la distribución de las hormonas en la cantidad justa y en el momento necesario.

tiroides / paratiroides

La tiroides, que se sitúa en la parte anterior de la garganta, segrega tres hormonas. A ella se hallan adheridas las cuatro pequeñas glándulas paratiroides, que colaboran en la regulación del metabolismo del calcio.

páncreas

Este órgano es, a la vez, exocrino y endocrino. La función endocrina elabora dos hormonas, la insulina y el glucagón, que regulan el metabolismo de los hidratos de carbono.

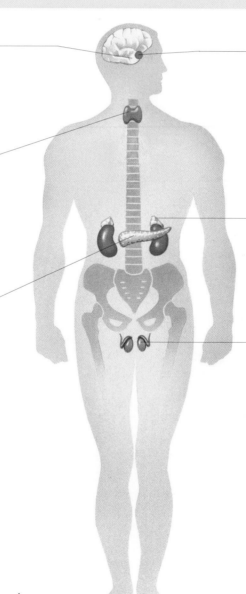

hipófisis

Glándula situada en la base del cráneo, que segrega un gran número de hormonas tróficas: aquellas que estimulan la secreción de otras glándulas endocrinas.

glándulas suprarrenales

Son dos pequeñas glándulas, situadas encima de cada riñón, con dos partes diferenciadas: la corteza y la médula.

gónadas

Las gónadas (los ovarios en las mujeres y los testículos en los hombres) producen células reproductoras y otras hormonas esenciales para la función de reproducción.

GLÁNDULAS
ENDOCRINAS

Una acción coordinada

Los sistemas nervioso y endocrino se relacionan íntimamente y se les puede considerar como partes de un sistema único que coordina las funciones orgánicas y mantiene las constantes del medio interno. El primero asume los estímulos del exterior y genera una serie de reacciones o respuestas. El segundo implica un sistema de control y regulación internos que compensa los cambios producidos desde el exterior.

Ambos utilizan mensajeros químicos: el sistema nervioso emplea **neurotransmisores**, unas señales moleculares que viajan desde una célula nerviosa a la siguiente en función de un impulso eléctrico; el sistema endocrino lo forman una serie de células, organizadas en glándulas, que liberan **hormonas** y las vierten a la sangre para que lleguen a los lugares donde deben realizar su función.

El sistema hormonal es de actuación lenta, mientras que el sistema nervioso posee una capacidad de respuesta mucho más rápida.

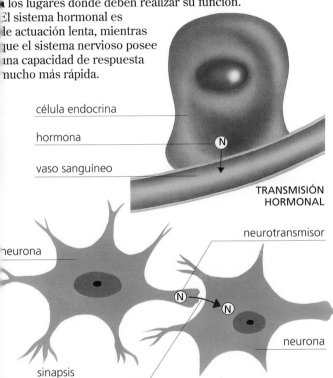

célula endocrina

hormona

vaso sanguíneo

TRANSMISIÓN HORMONAL

neurona

neurotransmisor

neurona

sinapsis

Un mecanismo de ida y vuelta

Las secreciones hormonales tienen un mecanismo desencadenante común: los estímulos a los que se someten los seres vivos. Algunos estímulos llegan a la corteza cerebral procedentes del medio externo; otros, originados en el interior del organismo, se integran en el hipotálamo. A partir de aquí, el mecanismo que controla la secreción hormonal es también de naturaleza hormonal: la propia concentración de la hormona en la sangre determina un mensaje de aumento o disminución de su producción. Este mensaje llega de nuevo al hipotálamo (realimentación), que puede segregar, si es necesario, unos **factores liberadores** que induzcan a la hipófisis a elaborar más hormonas. Estas hormonas se denominan **tróficas**: controlan por sí mismas una determinada función o estimulan la secreción hormonal de otras glándulas endocrinas.

 En caso de peligro, el pulpo deja tras de sí un rastro de tinta. Esta sustancia, producida por una glándula de su intestino, permite que sus agresores queden cegados y, además, neutraliza el olor del propio animal.

¿ Sabías que...

...existen hormonas que lanzan mensajes al exterior?

Muchos animales, como los insectos y los peces, segregan hormonas dirigidas a individuos de su misma especie. Estos mensajes químicos lanzados al exterior, las **feromonas**, desencadenan respuestas muy distintas en el receptor: actúan a modo de reclamo sexual, señal de alarma, etc. Por ejemplo, las abejas reinas segregan una feromona que, al ingerirla las abejas obreras, impide que alguna de ellas pueda generar otra reina.

Otras feromonas pueden servir como rastro que guíe a los individuos de una comunidad hacia donde se halla el alimento, como sucede con las hormigas.

Una de las feromonas más potentes es la de la mariposa del gusano de seda: actúa como reclamo sexual y bastan unos centenares de moléculas para provocar la respuesta del macho.

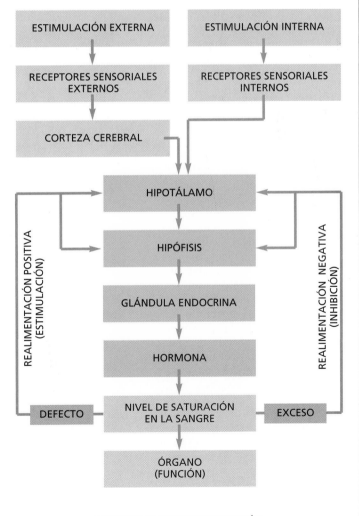

MECANISMO DE REALIMENTACIÓN
EN LA SECRECIÓN HORMONAL

Los órganos del sistema endocrino

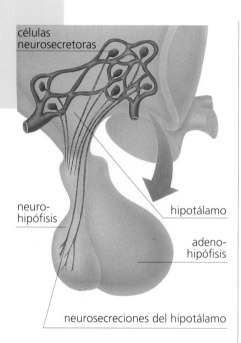

células neurosecretoras

neuro-hipófisis

hipotálamo

adeno-hipófisis

neurosecreciones del hipotálamo

Hipotálamo

El hipotálamo, situado encima de la hipófisis cerebral, es el órgano central de la producción hormonal: se encarga de ordenar la secreción y la distribución de hormonas en la cantidad y el momento adecuados. Es el lugar donde se reciben los mensajes procedentes de todas las células nerviosas del cerebro. Luego, basándose en estos mensajes, transmite las órdenes oportunas a la hipófisis.

Además de sus funciones de naturaleza nerviosa, el hipotálamo también tiene una función endocrina, ya que sus células nerviosas liberan **neurohormonas**, que no son producidas por una glándula endocrina propiamente dicha. Dos de ellas se almacenan en la hipófisis: las **oxitocinas**, que controlan las contracciones uterinas durante el parto y la secreción de leche de las mamas, y la **vasopresina** u **hormona antidiurética (ADH)**, que controla el metabolismo del agua, estimula la reabsorción del agua de los riñones y produce vasoconstricción.

La diabetes insípida es una deficiencia de la hormona vasopresina que provoca una intensa sed en el enfermo. Esto hace que se beba mucha agua y se excreten grandes cantidades de orina: ¡hasta 10 o 15 litros diarios!

Hipófisis

La hipófisis es una pequeña glándula situada en la base del cráneo, en una cavidad ósea denominada **silla turca**. En la hipófisis anterior o adenohipófisis, las células glandulares segregan seis hormonas tróficas, es decir, que estimulan otras glándulas endocrinas:

• *Tirotropina u hormona estimulante de la tiroides (TSH)*: estimula la secreción de hormonas tiroideas.
• *Gonadotrofina u hormona estimulante del folículo (FSH)*: estimula el crecimiento del folículo ovárico en la mujer y la maduración de los espermatozoides en el hombre.
• *Hormona luteinizante (LH)*: estimula la ovulación en la mujer y la producción de testosterona en el hombre.
• *Hormona adrenocorticotropa (ACTH)*: estimula la corteza de las glándulas suprarrenales para que produzca hormonas corticosteroides.
• *Prolactina (PRL)*: estimula la producción de leche en las glándulas mamarias.
• *Hormona del crecimiento (GH)*: estimula el crecimiento de los huesos y los músculos al activar la mitosis y la entrada de aminoácidos en las células.

La hipófisis intermedia segrega una única hormona, la melanocito-estimulante (MSH), que favorece la síntesis de la melanina.
La hipófisis posterior o neurohipófisis tiene la función de depósito de hormonas sintetizadas en el hipotálamo.

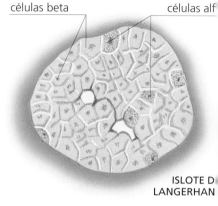

células beta   células alf

ISLOTE D LANGERHAN

Páncreas

El páncreas es, a la vez, un órgano de secreción externa e interna. Su función exocrina se manifiesta en la secreción de jugo pancreático, mientras que unas células aisladas, los **islotes de Langerhans**, repartidos por todo el páncreas, elaboran dos hormonas: la insulina y el glucagón, que regulan el metabolismo de los hidratos de carbono.
La **insulina**, producida por las células beta, actúa cuando hay hiperglucemia, es decir, cuando la concentración de glucosa en la sangre es elevada (superior a 1 g/l). El **glucagón**, elaborado por las células alfa, actúa en sentido contrario, ya que corrige la hipoglucemia o falta de glucosa.

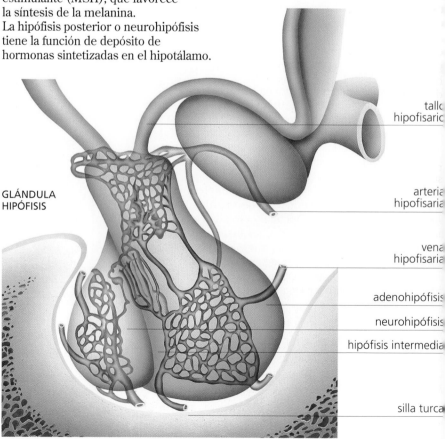

GLÁNDULA HIPÓFISIS

tallo hipofisaric

arteria hipofisaria

vena hipofisaria

adenohipófisis

neurohipófisis

hipófisis intermedia

silla turca

SITUACIÓN DE LA GLÁNDULA TIROIDES

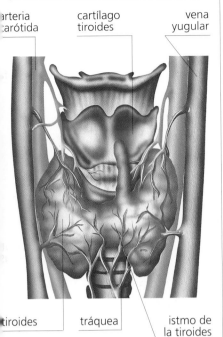

arteria carótida · cartílago tiroides · vena yugular

tiroides · tráquea · istmo de la tiroides

SITUACIÓN DE LA GLÁNDULA TIROIDES

Tiroides/paratiroides

La glándula tiroides, de 25-30 g de peso, se ubica en la parte anterior de la garganta. La constituyen dos lóbulos simétricos que rodean la tráquea por delante y por los lados.
Esta glándula, estimulada por la tirotropina, segrega tres hormonas. La **tiroxina** y la **triyodotironina** estimulan el desarrollo de los órganos y tejidos, en especial de los tejidos óseo y nervioso, además de acelerar el metabolismo celular y, por tanto, la producción de calor. La **calcitonina** regula el nivel de calcio en la sangre y evita la descalcificación de los huesos. Adheridas a la tiroides se hallan las cuatro pequeñas **glándulas paratiroides**, que segregan una única hormona, la **paratiroide**, antagónica de la calcitonina.

SITUACIÓN
DE LAS GLÁNDULAS PARATIROIDES

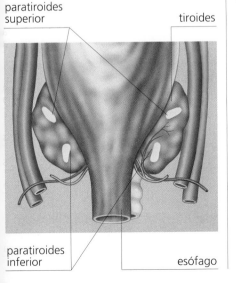

paratiroides superior · tiroides

paratiroides inferior · esófago

Glándulas suprarrenales

Las suprarrenales son dos pequeñas glándulas que se encuentran encima de cada riñón.
La corteza suprarrenal, estimulada por la hormona adrenocorticotropa, segrega dos tipos de hormonas: la cortisona y la aldosterona. La **cortisona** interviene en el metabolismo de los hidratos de carbono, las grasas y las proteínas, y asegura la reparación y el crecimiento normal de los tejidos. La **aldosterona** favorece la retención de agua y sodio y la eliminación de potasio en los túbulos renales.
La médula suprarrenal segrega **adrenalina** y **noradrenalina**, dos hormonas que hacen aumentar la cantidad de glucosa en la sangre y proporcionan la energía necesaria a los músculos cuando se realiza un esfuerzo muscular intenso.

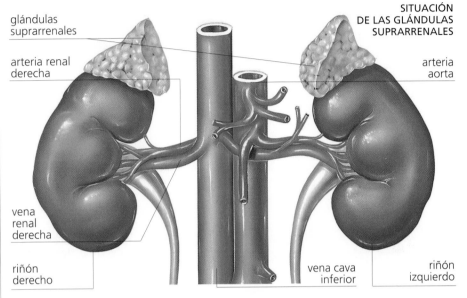

glándulas suprarrenales

SITUACIÓN DE LAS GLÁNDULAS SUPRARRENALES

arteria renal derecha

arteria aorta

vena renal derecha

riñón derecho · vena cava inferior · riñón izquierdo

Gónadas

Además de fabricar células reproductoras (óvulos en la mujer, espermatozoides en el hombre), las gónadas masculinas (testículos) y femeninas (ovarios) actúan como glándulas endocrinas que liberan hormonas esenciales para la función reproductora.
Las hormonas sexuales controlan el desarrollo de los órganos genitales y la manifestación de los caracteres sexuales primarios y secundarios. Cada gónada produce las hormonas propias de su sexo, **estrógenos** en el ovario y **andrógenos** en los testículos, además de una pequeña cantidad de hormonas del sexo opuesto.
La **testosterona**, que se libera cuando se llega a la pubertad, es el andrógeno responsable de los caracteres secundarios masculinos: barba, voz grave, desarrollo de la musculatura...
En el ovario femenino, al llegar a la pubertad, se segrega **estradiol**, que favorece el redondeamiento de las formas corporales, la voz aguda, etc. Además, también se produce **progesterona**, que regula el ciclo menstrual y otros procesos reproductores.

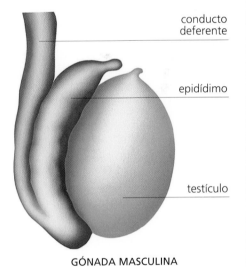

conducto deferente

epidídimo

testículo

GÓNADA MASCULINA

trompa de Falopio

ovario

GÓNADA FEMENINA

Las hormonas

¿Qué son las hormonas?

Ciertas glándulas controlan y mantienen el correcto funcionamiento del organismo por medio de mensajes expedidos a través de los vasos sanguíneos, los canales que cruzan nuestro cuerpo. Los mensajes que envían estas glándulas son sustancias particulares denominadas **hormonas**, que se vuelcan en la sangre y, a través de ella alcanzan los órganos, donde ejercen su acción.

Así, las hormonas son como mensajes cifrados, enviados por particulares puntos del organismo a otros que, únicamente ellos, tienen la clave para comprenderlos; son sustancias capaces, en dosis infinitesimales, de estimular ciertas actividades, frenar unas y suscitar otras nuevas.

Órgano	Hormonas más importantes
Hipotálamo	• Oxitocina • Vasopresina (ADH)
Hipófisis	• Tirotropina (TSH) • Gonadotrofina (FSH) • Hormona luteinizante (LH) • Hormona adrenocorticotropa (ACTH) • Prolactina (PRL) • Hormona del crecimiento (GH) • Hormona melanocito-estimulante (MSH)
Tiroides	• Tiroxina • Triyodotironina • Calcitonina
Paratiroides	• Hormona paratiroide
Páncreas	• Insulina • Glucagón
Hormonas gastro-intestinales	• Gastrina • Enterogastrona • Pancreozimina • Secretina • Colecistoquinina • Enterocrinina
Glándulas suprarrenales	• Cortisona • Aldosterona • Adrenalina • Noradrenalina
Gónadas	• Estrógenos • Testosterona • Estradiol • Progesterona

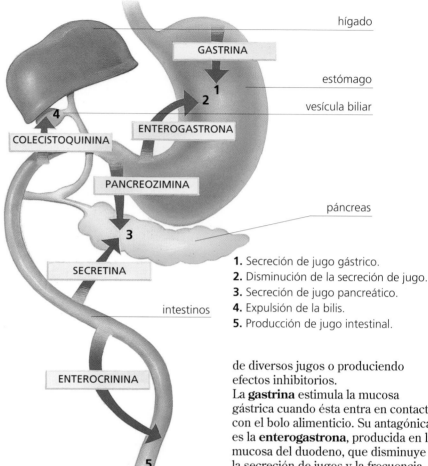

hígado

GASTRINA

estómago

vesícula biliar

ENTEROGASTRONA

COLECISTOQUININA

PANCREOZIMINA

páncreas

SECRETINA

intestinos

1. Secreción de jugo gástrico.
2. Disminución de la secreción de jugo.
3. Secreción de jugo pancreático.
4. Expulsión de la bilis.
5. Producción de jugo intestinal.

ENTEROCRININA

Hormonas sin glándulas endocrinas concretas

Más que glándulas concretas, en la mucosa del estómago y del intestino existen, dispersas, células de tipo endocrino. Las hormonas gastrointestinales que segregan se encargan de controlar los procesos digestivos activando la secreción de diversos jugos o produciendo efectos inhibitorios.

La **gastrina** estimula la mucosa gástrica cuando ésta entra en contacto con el bolo alimenticio. Su antagónica es la **enterogastrona**, producida en la mucosa del duodeno, que disminuye la secreción de jugos y la frecuencia de los movimientos peristálticos.

En el duodeno se producen la **pancreozimina** y la **secretina**, que estimulan la producción de jugo pancreático, además de la **colecistoquinina**, que favorece el vertido de bilis ante la presencia de sustancias grasas.

Finalmente, la **enterocrinina**, que se origina en la mucosa intestinal, estimula la producción de jugo en este órgano.

Prevención y salud

Seguramente conocerás a alguna persona diabética, que no puede tomar dulces, pastas ni nada que contenga azúcar, y además siempre tiene sed. Estas personas, que sufren **diabetes mellitus**, pueden controlar su enfermedad si la descubren a tiempo y siguen un tratamiento correcto.

La diabetes mellitus aparece cuando el páncreas no produce la cantidad suficiente de insulina. En este caso, la sangre y los tejidos se ven invadidos por un exceso de azúcar.

Existe una diabetes juvenil, que suele afectar a personas menores de 30 años y se inicia de forma brusca, tratándose con **insulina**, y una diabetes adulta, que se manifiesta preferentemente, y de forma solapada, en personas obesas mayores de 40 años. No suele necesitar insulina y se controla mediante una dieta adecuada.

El tratamiento diabético comprende una serie de normas, la principal de las cuales consiste en mantener un régimen equilibrado de grasas, proteínas e hidratos de carbono. Los diabéticos no pueden tomar pan, patatas, arroz, pastas, galletas, uvas, higos, etc.

¿Cómo saben su destino las hormonas?

Las hormonas producidas por las glándulas endocrinas se vierten al flujo sanguíneo y llegan a todas las partes del organismo, pero cada una de ellas sólo actúa en una región o en un determinado órgano del cuerpo, denominado **órgano-diana**.

Se cree que las hormonas reconocen su órgano-diana gracias a la existencia de ciertas proteínas receptoras. Las hormonas las detectan y se unen a ellas para actuar en las células y tejidos. Esta actuación puede revestir diferentes formas. Algunas hormonas, como la insulina y el glucagón, estimulan a las células para la producción de determinados compuestos; es lo que se conoce como **acción dinámica**. Otras realizan una **acción metabólica**: aceleran o retardan el metabolismo de determinadas células. La hormona del crecimiento efectúa una **acción morfogenética**, ya que estimula el desarrollo y la diferenciación célular en algunos órganos del cuerpo.

Naturaleza química de las hormonas

Los humores hormonales presentan una naturaleza química que permite la perfecta coordinación entre los diversos órganos del cuerpo humano. Sus descubridores, los británicos Starling y Bayliss, en 1906, denominaron *hormonas* a estas sustancias atendiendo a la etimología griega de la palabra (*hormao*), que significa *estimular, excitar*.

Las hormonas pueden responder a varios tipos de moléculas orgánicas:

• *Proteínas de cadena corta*: formadas por pocos aminoácidos, como la oxitocina y la vasopresina.
• *Proteínas de cadena larga*: formadas por muchos aminoácidos, como la insulina y el glucagón.
• *Derivadas de ácidos grasos*: por ejemplo, las prostaglandinas.
• *Derivadas de aminoácidos*: como la adrenalina y la tiroxina.
• *Esteroides*: como las hormonas sexuales y las producidas por la corteza suprarrenal.

Los vegetales, como los seres vivos, también segregan sus propias hormonas. Estas sustancias se producen en los meristemos, situados en las raíces y en los tallos, y actúan a través de los distintos vasos conductores que transportan la savia.

	ENFERMEDAD	GLÁNDULA	HORMONA
HIPER-FUNCIÓN	GIGANTISMO HIPOFISARIO	HIPÓFISIS	HORMONA DEL CRECIMIENTO
	BOCIO HIPERTIROIDISMO	TIROIDES	T_3 TRIYODOTIRONINA T_4 TIROXINA
HIPO-FUNCIÓN	DIABETES MELLITUS	PÁNCREAS	INSULINA
	ENANISMO HIPOFISARIO	HIPÓFISIS	HORMONA DEL CRECIMIENTO
	CRETINISMO	TIROIDES	HORMONA TIROIDEA
	ENFERMEDAD DE ADDISON	GLÁNDULAS SUPRARRENALES	HORMONAS DE LA CORTEZA DE ESTAS GLÁNDULAS

¿Y si las hormonas no producen lo justo?

Un individuo sano produce la cantidad justa de hormonas que precisa su organismo, pero, en ocasiones, aparecen alteraciones orgánicas que aumentan (**hiperfunción**) o disminuyen (**hipofunción**) en exceso la producción hormonal.

Una de estas anomalías es el **bocio**, originado por la hiperfunción de la glándula tiroides. Esta glándula aumenta de volumen y, exteriormente, se manifiesta en una excesiva salida de los ojos en las órbitas oculares. Otra enfermedad por hiperfunción es el **gigantismo**, un exceso de producción de la hormona hipofisaria del crecimiento. Se manifiesta en un desarrollo desproporcionado de la cara y de los huesos de las manos y de los pies.

La enfermedad por hipofunción que quizá conozcas sea la **diabetes mellitus**, originada por la escasez de insulina, lo que eleva el nivel de glucosa en la sangre. Otras anomalías son el **cretinismo** (hipofunción de la tiroides en la infancia), el **enanismo** (lo contrario al gigantismo) y la **enfermedad de Addison** (hipofunción de la corteza de las glándulas suprarrenales).

Un ejemplo de gigantismo fue el de Robert Wadlow, un estadounidense nacido en 1928. Al nacer pesó 3,8 kg, pero, al año de edad, ya pesaba 28 kg y medía 1,11 m. A los nueve años medía 1,85 m, y este ritmo de crecimiento continuó hasta su muerte, a los 22 años de edad: pesaba 215 kg y su estatura era de 2,70 m.

¿Sabías que...

...el sistema endocrino también se ha aplicado en la vida real?

Un funcionario colonial británico, que en el siglo pasado administró una zona de Kenia, narró el curioso sistema que empleaba para mantener el orden entre las tribus de su territorio, y que constituye un ejemplo vivo del funcionamiento del sistema endocrino del cuerpo humano.

Las tribus se encontraban a orillas de un riachuelo y de los brazos secundarios que éste formaba. El funcionario hizo creer a los jefes de las tribus que el «gran patrón blanco» enviaba sus órdenes a través de los cambios de color de las aguas del río: el color amarillo significaba *"dejad de pelearos"*, el verde, *"vengan a mí los jefes de la tribu"*, etc.

Por tanto, cuando se enteraba que dos tribus se estaban peleando, el funcionario hacía volcar en el río una gran cantidad de sustancia colorante amarilla. En pocas horas, ésta se dispersaba por los miles de brazos del río e inmediatamente traía la paz a la zona.

El sistema inmunológico

Nuestro cuerpo dispone de varios mecanismos de defensa para hacer frente a los organismos patógenos, productores de enfermedades, que penetran en nuestro interior cuando, por ejemplo, nos hacemos una pequeña herida. En general, los leucocitos, encargados de atrapar y destruir estos organismos, consiguen detener la invasión por sí solos, aunque también existen procedimientos (vacunación, sueroterapia...) que colaboran con el sistema inmunológico en la realización de su tarea. El aparato inmunológico del ser humano lo forman órganos que tienen la facultad de fabricar o acumular linfocitos, los glóbulos blancos productores de anticuerpos: son la médula ósea roja, el timo, los ganglios linfáticos, el bazo y las placas de Peyer del intestino. Estos órganos ya se han tratado con detalle en capítulos anteriores, por lo que ahora sólo los describiremos a modo de recordatorio.

ganglios linfáticos
Protuberancias situadas a lo largo de los diversos vasos linfáticos que filtran las bacterias.

placas de Peyer del intestino
Conjunto de pliegues de la pared intestinal en donde están presentes numerosos ganglios linfáticos.

timo
Glándula endocrina, de tipo linfoide, que interviene en el desarrollo de las funciones inmunológicas y desaparece durante la pubertad.

bazo
Órgano abdominal muy irrigado y con numerosos macrófagos que destruyen los glóbulos rojos envejecidos.

médula ósea roja
Sustancia que llena los espacios internos del tejido óseo esponjoso, especialmente en los extremos de los huesos largos.

SISTEMA INMUNOLÓGICO

Las alergias, una reacción extrema

Las alergias constituyen una reacción exagerada del organismo ante una sustancia normalmente tolerada por los demás; por ejemplo, es usual que haya personas que estornuden con frecuencia en primavera, o que se les irriten los ojos o les pique la nariz.

Las alergias responden a una reacción antígeno-anticuerpo de nuestro sistema inmunológico. Esta reacción puede ser inmediata (ataques de asma, aparición de eczemas en la piel...) o retardada, como sucede en el rechazo de los órganos trasplantados. Los agentes alérgenos toman formas muy raras, ya que son innumerables las sustancias naturales y sintéticas que pueden desencadenar una reacción hipersensible de este tipo.

El polvo, las plumas y pelos de animales, y el polen de las plantas son alérgenos que penetran por las vías respiratorias. Por vía digestiva destacan los mariscos y los huevos, mientras que otros alérgenos actúan por contacto, como los productos de belleza. Los parásitos, ácaros, hongos y microbios también provocan alergias, y ciertos medicamentos, como la penicilina, pueden originar reacciones alérgicas de carácter grave.

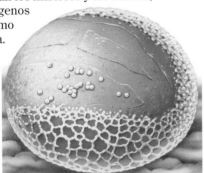

¿ Sabías que...

...no existe la generación espontánea?

Si abandonas un alimento fresco durante algún tiempo, habrás observado que se descompone y se pudre, y al examinar el material putrefacto puedes descubrir en él gran cantidad de pequeños seres vivos. Para explicar la presencia de estos pequeños gusanos, durante siglos se mantuvo vigente la teoría de la generación espontánea, que justificaba la aparición de seres vivos en lugares donde, aparentemente, no podían formarse.

Si la generación espontánea fuera real, significaría que la vida podría desarrollarse a partir de algo no viviente. Francesco Redi, en 1668, comprobó que los gusanos que aparecían en la carne descompuesta eran larvas de mosca, y Louis Pasteur, gracias a su actividad en el campo de la microbiología, demostró en 1862 la imposibilidad de la generación espontánea: en la naturaleza, la vida sólo procede de la vida, es decir, todo ser vivo debe su existencia a otro ser vivo, y en un medio estéril, la vida no puede aparecer por generación espontánea.

Órganos del sistema inmunológico

El sistema inmunológico lo forman varios órganos capaces de fabricar o acumular **linfocitos**, un tipo de glóbulos blancos, de origen linfoide, productores de anticuerpos. Estos órganos son la médula ósea roja, los ganglios linfáticos, el bazo y las placas de Peyer del intestino, además del

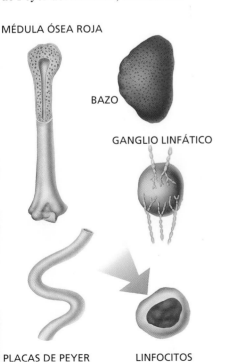

MÉDULA ÓSEA ROJA

BAZO

GANGLIO LINFÁTICO

PLACAS DE PEYER   LINFOCITOS

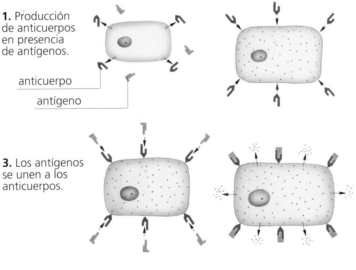

1. Producción de anticuerpos en presencia de antígenos.

anticuerpo
antígeno

2. Los anticuerpos se fijan a otras células.

3. Los antígenos se unen a los anticuerpos.

4. Las células afectadas generan sustancias que pueden producir alergias.

timo, una glándula endocrina situada debajo del esternón y delante de la tráquea. Al principio de la vida, el **timo** interviene activamente en el desarrollo de las funciones inmunológicas, alcanzando su peso máximo durante la pubertad. Posteriormente, cuando el individuo alcanza su madurez sexual, esta glándula experimenta una involución y deja de actuar.

Como respuesta a la presencia de microbios en el organismo, los linfocitos producen **anticuerpos**, unas proteínas que se desencadenan al detectarse **antígenos**, ciertas sustancias tóxicas de los microbios. La misión de los anticuerpos consiste en contrarrestar, de forma selectiva,

la acción nociva de los antígenos, dividiéndose y uniéndose a ellos. Esta reacción antígeno-anticuerpo, que tiene lugar en el plasma sanguíneo, conforma la **respuesta inmune primaria**, la cual inactiva las moléculas agresoras o los microbios portadores.

Además, los linfocitos poseen «memoria inmunológica», ya que recuerdan cómo se forma un anticuerpo específico para un antígeno determinado. Esto quiere decir que, cuando un mismo antígeno penetra en otra ocasión en un mismo organismo, la formación de anticuerpos es mucho más rápida y numerosa: es la **respuesta inmune secundaria**.

Nuestro sistema defensivo

Un triple sistema de defensa

Cuando un germen patógeno intenta penetrar en el organismo no lo consigue sin antes superar una serie de impedimentos o defensas naturales, constituidas a modo de barreras que separan el medio interno del externo. La primera barrera la forman la **piel** y las **mucosas**. En la epidermis, las secreciones sebáceas y el sudor generan un pH ligeramente ácido que actúa contra los hongos, y la descamación continua contribuye a eliminar las bacterias que hubiesen podido infiltrarse en las capas superficiales de la piel.
Los orificios ocular, nasal, bucal, bronquial, rectal y genital se recubren de un epitelio delgado y muy húmedo, la mucosa, que posee sus propios mecanismos químicos de defensa. La mucosa de ciertos órganos internos también destruye muchos microorganismos gracias a los enzimas y a la acidez de los jugos segregados.

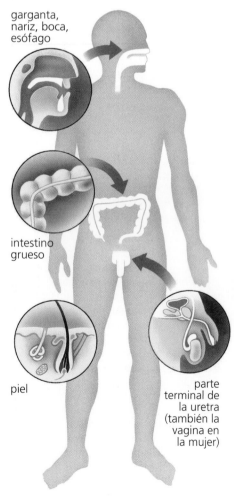

garganta, nariz, boca, esófago

intestino grueso

piel

parte terminal de la uretra (también la vagina en la mujer)

ZONAS DE CONTAMINACIÓN DEL CUERPO HUMANO

Cuando las defensas locales se ven desbordadas, los microbios se extienden por los vasos sanguíneos y linfáticos, con el consiguiente peligro de una infección generalizada grave (septicemia). Para intentar evitarlo, los **ganglios linfáticos** constituyen la segunda barrera defensiva: activan la producción de linfocitos, auténticos especialistas en la «caza» de bacterias, y se inflaman.

infección (puerta de entrada)

septicemia (la infección pasa a la circulación)

progresión (inflamación de los ganglios linfáticos)

PROCESO DE SEPTICEMIA

La tercera barrera protectora la forman las **células inmunitarias**, los linfocitos T y B, capaces de reconocer a los agresores y fabricar anticuerpos específicos para cada tipo de antígeno. Superada la enfermedad, el organismo habrá adquirido una inmunidad natural.

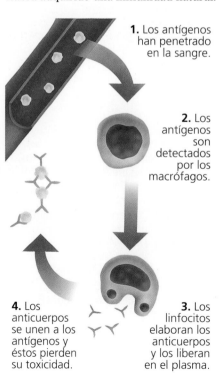

1. Los antígenos han penetrado en la sangre.

2. Los antígenos son detectados por los macrófagos.

3. Los linfocitos elaboran los anticuerpos y los liberan en el plasma.

4. Los anticuerpos se unen a los antígenos y éstos pierden su toxicidad.

La fiebre, mecanismo de defensa

La fiebre, común en todas las enfermedades infecciosas, no es más que una manifestación de los mecanismos de defensa del organismo.
Para asegurarse de que una persona tiene fiebre se emplea el **termómetro**, un instrumento que permite conocer con exactitud la temperatura del cuerpo: consta de un tubo de vidrio muy delgado, de unos 12 cm de longitud, con un depósito de mercurio en un extremo que se dilata por efecto del calor.
El termómetro se suele colocar en la axila o en el pliegue inguinal durante unos cinco minutos. La temperatura normal oscila entre 36,5 y 37 °C, y a partir de los 39 °C se considera que la fiebre es alta.

TEMPERATURA	ESTADIO
36,5 °C	NORMAL
37 °C	FEBRIL
39 °C	FIEBRE ALTA

El récord de morbilidad de una epidemia lo ostenta la peste bubónica, que asoló Europa durante el período 1347-1351, con una tasa del 99,99 %.

En abril de 1967, la NASA, agencia espacial estadounidense, informó que sus científicos habían encontrado bacterias a una altitud de 41 100 m.

El primer transplante de corazón se realizó en 1967, y el receptor sólo sobrevivió 18 días. Anteriormente, en 1964, se implantó el corazón de un chimpancé en el tórax de un enfermo de 68 años, pero el corazón injertado sólo funcionó durante unas pocas horas.

Inmunidad artificial y natural

La inmunidad es la capacidad que tienen los seres vivos para mantenerse invulnerables a una determinada enfermedad. Este privilegiado estado de protección, además de adquirirse artificialmente por medios terapéuticos a través de la **vacunación** y la **sueroterapia**, también puede conseguirse de forma natural.

La **inmunidad natural activa** es una consecuencia de superar con éxito una determinada enfermedad, lo que provoca la formación de unos anticuerpos que perduran en la sangre un cierto tiempo y contribuyen a la memoria inmunológica de los linfocitos.

También existe la **inmunidad natural pasiva**, adquirida durante el desarrollo embrionario y el período de lactancia: el embrión recibe anticuerpos de la madre a través de la placenta o de la primera secreción láctea.

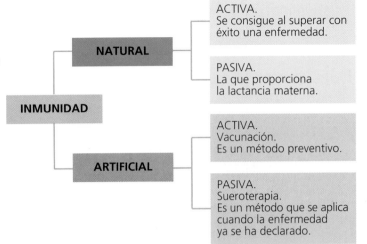

INMUNIDAD

NATURAL

ACTIVA.
Se consigue al superar con éxito una enfermedad.

PASIVA.
La que proporciona la lactancia materna.

ARTIFICIAL

ACTIVA.
Vacunación.
Es un método preventivo.

PASIVA.
Sueroterapia.
Es un método que se aplica cuando la enfermedad ya se ha declarado.

¿Por qué se rechazan muchos órganos trasplantados?

Los trasplantes de órganos son una solución para los pacientes que han llegado a un estadio de enfermedad irreversible. Cuando muere una persona, muchos de sus órganos son recuperables y aprovechables si se actúa con rapidez, motivo por el cual se crean los bancos de órganos. El primer trasplante de riñón se efectuó en 1950, y el de corazón, en 1967. En este caso es evidente que, como la sangre del receptor ha de continuar circulando, se debe establecer un circuito extracorpóreo artificial que realice las mismas funciones del corazón y de los pulmones, sin que se interrumpa el flujo sanguíneo. Sin embargo, muchos trasplantes no tienen éxito porque el receptor rechaza el nuevo órgano. Esto se debe a que las células donadas contienen ciertos antígenos que no posee el receptor. De estos antígenos, denominados de histocompatibilidad, existen tantas variantes que es prácticamente imposible encontrar dos personas con la misma combinación de antígenos, a excepción de los gemelos verdaderos.

Vacunas y sueros, métodos de la ciencia médica

La **vacunación** consiste en inocular el microorganismo que produce la enfermedad que se quiere evitar, pero en condiciones tales que no pueda originar daño: con microorganismos debilitados o previamente muertos, o con una dosis muy pequeña, pero suficiente para estimular la producción de los anticuerpos necesarios. El descubrimiento de la vacuna se debe al británico **Edward Jenner** (1749-1823). Este médico observó que las vacas sufrían una enfermedad, la vacuna, cuyos síntomas eran parecidos a los de la viruela. También apreció que las personas que trabajaban con esos animales se contagiaban de la enfermedad vacuna, pero quedaban inmunizadas contra la viruela, lo que corroboró mediante la inoculación de ambas enfermedades en una misma persona. Jenner no pudo ofrecer una explicación científica a estos hechos porque no llegó a conocer la existencia de los microbios patógenos. Fue **Pasteur** quien, bien entrado el siglo XIX, estableció un razonamiento científico que permitió extender la práctica de la vacunación a numerosas enfermedades, empezando por la rabia.

La ciencia médica también ofrece otro recurso en el caso de contraerse una enfermedad de la cual no se está vacunado: la **sueroterapia**. Este método de inmunidad artificial pasiva consiste en tratar a la persona ya enferma con suero sanguíneo de un animal, previamente vacunado, que contenga anticuerpos contra el microbio causante de la enfermedad. Estos anticuerpos del suero del animal son los que se encargan, en la sangre del paciente, de anular los antígenos o toxinas del microorganismo patógeno.

EDWARD JENNER

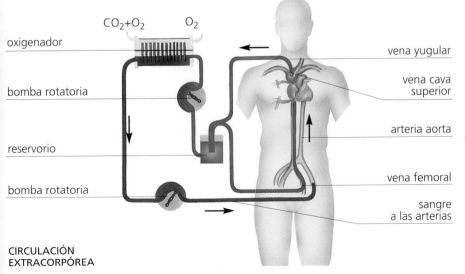

oxigenador

CO$_2$+O$_2$ O$_2$

bomba rotatoria

reservorio

bomba rotatoria

vena yugular

vena cava superior

arteria aorta

vena femoral

sangre a las arterias

CIRCULACIÓN EXTRACORPÓREA

Un caso de inmunodeficiencia extrema es el de los «niños burbuja»: al carecer de defensas inmunológicas, un microbio completamente inofensivo para un organismo sano produce en ellos graves infecciones. El enfermo sólo puede vivir recluido en una cámara esterilizada («burbuja») hasta que no se le realiza un trasplante de médula ósea de sus padres o de un hermano gemelo.

Bacterias, virus, microbios y enfermedades

Bacterias: la mayoría, beneficiosas

Se conocen unas 3 000 especies diferentes de bacterias, pero sólo una pequeña cantidad provocan enfermedades en el ser humano. Por ejemplo, en nuestra piel y mucosas existe una numerosa flora bacteriana que se nutre de secreciones y residuos de la digestión, y que segrega unas sustancias de tipo antibiótico para impedir el asentamiento de otras bacterias potencialmente patógenas. Es decir, nos protegen de bacterias que podrían causar infecciones.

Las bacterias son microorganismos procarióticos sencillos, pero con una enorme capacidad de reproducción: en general, se dividen de forma asexual por bipartición simple, es decir, parten equitativamente su contenido celular. Esto permite cultivarlas y estudiar en ellas procesos fisiológicos o genéticos.

Cada célula bacteriana presenta una **pared** o envoltura exterior de protección, una **membrana plasmática**, un **citoplasma** compuesto de ribosomas y vacuolas con sustancias de reserva, y **ácido nucleico** formado por una sola cadena circular de ADN.

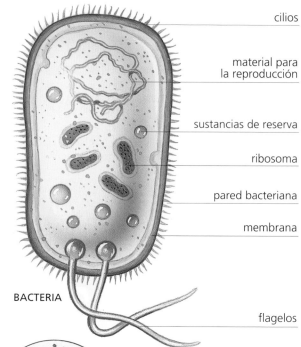

cilios

material para la reproducción

sustancias de reserva

ribosoma

pared bacteriana

membrana

BACTERIA

flagelos

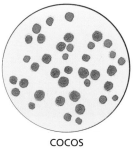

COCOS

ESTREPTOCOCOS

ESTAFILOCOCOS

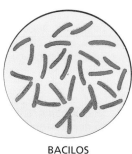

BACILOS

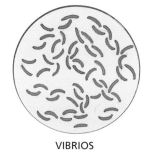

VIBRIOS

ESPIRILOS

Atendiendo a su forma, se distinguen varios grupos de bacterias:

- *Cocos*: bacterias redondeadas, que pueden agruparse en diplococos (de dos en dos), estreptococos (en cadenas) y estafilococos (en racimos).
- *Bacilos*: bacterias en forma de bastoncillos.
- *Vibrios*: bacterias curvadas, en forma de coma.
- *Espirilos*: cuando se arrollan en espiral.

La bacteria *Micrococcus radiodurans* es tan resistente que puede soportar una radiación atómica de 6,5 millones de roentgens, mil veces más mortífera que la que pueden soportar los seres humanos. Otras bacterias son capaces de vivir en los lechos de aguas sulfurosas, a una temperatura superior a 300 °C.

Virus: ¿seres vivos?

Los virus son microorganismos tan pequeños que sólo se pueden observar con un microscopio electrónico. Según su forma, se dividen en: helicoidales, icosaédricos, bacteriófagos y virus con envoltura.

Fuera de las células vivas, carecen de actividad biológica, por lo que en ocasiones no se les considera seres vivos. Sin embargo, cuando se parasitan en el interior de una célula, son capaces de reproducirse y ocasionar enfermedades.

Para reproducirse, el ácido nucleico del virus se introduce en el interior del citoplasma de la célula infectada y aprovecha los materiales de ésta para fabricar nuevos ácidos nucleicos, iguales a los del virus, y las proteínas de la cubierta que los envuelve. Después, cada ácido nucleico se ensambla con la proteína correspondiente, apareciendo nuevos virus. La presión que ejercen rompe la membrana de la célula infectada y quedan libres para repetir el ciclo.

LOS VIRUS, SEGÚN SU FORMA

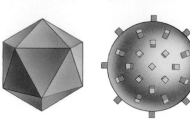

icosaédricos

con envoltura

bacteriófagos

helicoidales

También existen microbios beneficiosos

Los microbios son organismos tan pequeños que sólo se pueden observar con un microcospio. La inmensa mayoría son unicelulares, y no todos son perjudiciales y producen enfermedades: por el contrario, muchos microbios son beneficiosos porque elaboran sustancias, como los antibióticos, que se emplean en la lucha contra las enfermedades, o bien producen fermentaciones imprescindibles en la elaboración de alimentos, como las levaduras en el pan y ciertos productos lácteos. Existen, por tanto, muchos tipos de microorganismos: virus, bacterias, protozoos, algas y hongos, los cuales se diferencian por su organización, su forma o, en este caso, la manera de obtener el alimento:

- *Bacterias autótrofas fotosintéticas*: sintetizan su propio alimento gracias a la función clorofílica que realizan.
- *Microbios saprofitos*: se alimentan de materia orgánica, la cual descomponen.
- *Microbios simbióticos*: se asocian con otros seres vivos para obtener un beneficio mutuo, como las bacterias presentes en nuestros intestinos.
- *Microbios parásitos*: viven a expensas de otro organismo sin dar nada a cambio, por lo que suelen ser patógenos.

levaduras, formación de una gema (gemación)

hifas, formaciones celulares filamentosas de un hongo

tripanosoma, protozoo productor de la enfermedad del sueño

virus del mosaico del tabaco

La virulencia de un microbio patógeno se determina por su poder invasor, es decir, su capacidad para proliferar en el organismo atacado, y por la producción de toxinas o sustancias nocivas. Cada tejido suele tener una vulnerabilidad especial para un tipo de toxina, de modo que no todos los microbios resultan igualmente dañinos para todos los tejidos.

ENFERMEDADES	
TIPOS	**EJEMPLOS**
infecciosas	tifus, hepatitis, gripe, difteria
carenciales	beriberi, escorbuto, raquitismo
funcionales	diabetes, enanismo
degenerativas	cirrosis hepática, cáncer

Origen de las enfermedades

Según su origen, se pueden distinguir hasta cuatro tipos de enfermedades:

- *Infecciosas*: causadas por un agente patógeno, como un virus o una bacteria,
- *Carenciales*: causadas por la falta o carencia de algún principio inmediato o vitamina básica.
- *Funcionales*: causadas por el mal funcionamiento de algún órgano o glándula reguladora.
- *Degenerativas*: causadas por el envejecimiento o deterioro de algún órgano.

Las enfermedades infecciosas o infectocontagiosas son las que combate nuestro sistema inmunológico. Para que puedan producirse se necesita, primero, una **fuente de infección**, un lugar o cuerpo donde se encuentren los gérmenes: agua o alimentos infectados, excrementos, suciedad, ambientes muy húmedos... Posteriormente se precisa una **vía de transmisión** o **contagio**, sea directo, por contacto físico, o indirecto: el aire, el agua, los alimentos, objetos contaminados (ropas, pañuelos...) o insectos (moscas y mosquitos).

En Estados Unidos en el año 2000, el número previsible de muertes por el sida (síndrome de inmunodeficiencia adquirida) fué de mas de 200. 000, con unos costes de asistencia médica superiores a 20 000 millones de dólares.

Prevención y salud

La gripe es una enfermedad muy conocida que es posible que hayas padecido. Su nombre proviene del alemán, *gruppen*, que significa *acurrucarse*, *temblar de frío*.

Aunque actualmente sea fácil de tratar, hasta hace poco ha sido una de las enfermedades infecciosas más extendidas y contagiosas. A lo largo de la historia ha habido grandes epidemias de gripe, e incluso hoy puede revestir una cierta importancia.

Las gripes, pues no todas son iguales, están causadas por virus, que aparecen súbitamente y se propagan con gran rapidez por vía respiratoria. El período de incubación suele durar de 1 a 3 días, tiempo durante el cual los virus se fijan en las mucosas de la garganta, la nariz y la tráquea, y después se extienden por todo el cuerpo. Los síntomas (malestar general, fiebre alta, tos, dolor de cabeza...) aparecen rápidamente y se manifiestan durante tres o cinco días.

En la actualidad, la gripe se puede prevenir mediante vacunas. Sin embargo, esta prevención no es fácil porque el virus de la gripe no siempre es el mismo, sino que suele variar de un año a otro. Una vez aparecidos los síntomas, el mejor tratamiento consiste en el reposo en cama y en tomar algún analgésico, un antipirético para bajar la fiebre y vitamina C.

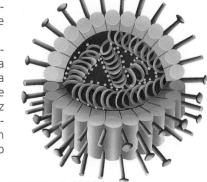

VIRUS DE LA GRIPE

Índice